Müjde Nedir?

Greg Gilbert

Önsöz, D. A. Carson

KARANLIKTAN
IŞIĞA YAYINLARI

Davutpaşa Cad. Kazım Dinçol San. Sit.
No: 81/87 Topkapı, İstanbul - Türkiye
info@karanliktanisiga.com
www.karanliktanisiga.com
www.9marks.org
Tel: (0212) 567 89 93

Kitap: MÜJDE NEDİR?
Özgün Adı: What Is the Gospel?
Yazar: Greg Gilbert
Çeviri: Ali Can Demir

Bu kitabın düzeltme işlemleri Karanlıktan Işığa Çeviri
Takımı tarafından yapılmıştır.

9Marks ISBN: 978-1-951474-45-4
T.C. Kültür ve Turizm Bakanlığı Sertifika No: 16231

Baskı: Anadolu Ofset - Tel: (0212) 567 89 92
Davutpaşa Cad. Kazım Dinçol San. Sit.
No: 81/87 Topkapı, İstanbul - Türkiye
Haziran 2020

Müjde Nedir?

Greg Gilbert
Önsöz, D. A. Carson

"Greg Gilbert, bugün kilisede hizmet etmekte olan genç adamlar arasında en parlak ve sadık olanlardan biri. Kendisi, bu kitap aracılığıyla bize derin, sadık ve tamamıyla Kutsal Kitap'a dayalı olarak, İsa Mesih'in Müjdesi'ni sunuyor. Günümüzde gerçek Müjde'yi bilmekten, sahte öğretileri ayırt edip Müjde merkezli Hristiyanlar yetiştirmekten daha büyük bir ihtiyaç yoktur. Bu önemli kitap, tam da zamanında imdadımıza yetişiyor."

—R. Albert Mohler Jr., Başkan,
The Southern Baptist Theological Seminary

"Çok eski bir hikâyenin, yepyeni kelimelerle anlatıldığı ve yanlış anlaşılan bazı şeylerle ilgili önemli uyarıların yapıldığı bir eser. Eski bir ilahide de denildiği gibi –ki bu Greg Gilbert'ın kitabı için de geçerli– bu eski hikâyeyi en iyi bilenler bile, tıpkı diğer insanlar gibi kendilerini bu hikâyeyi tekrar dinlemek için aç ve susuz hissedeceklerdir."

—Bryan Chapell, Başkan, Covenant Theological Seminary

"Greg Gilbert, kendisine öğretme onuruna ve ayrıcalığına sahip olduğum eski öğrencilerimden biri ve şimdi o bana öğretiyor. Müjde üzerine yazılmış bu küçük kitap, son yıllarda okuduğum en açık ve en önemli kitaplardan biri."

—Mark Dever, Pastör,
Capitol Hill Baptist Church, Washington DC

"Müjde nedir? Bu kısa ancak etkili olan kitaptaki bu soru, kısa ve öz bir sunumla cevaplanıyor. Eser, iyi haberin, yani Müjde'nin hakkını gerçekten de veriyor. Kitabı okuyun ve başkalarına da okutun."

—Daniel L. Akin, Başkan,
Southeastern Baptist Theological Seminary

"Greg Gilbert, parlak zekası ve bir önder yüreğiyle, adım adım ve kolay anlaşılacak bir biçimde, hem bu konuyu ilk defa araştıran bir şüpheciye hem de uzun zamandır Hristiyan olan kişilere Müjde'yi anlamada yardımcı olacak nitelikte bir eser ortaya koymuş. Tartışmalı bir konuda sağlam bir rehber olan bu kitap Müjde'yle, Tanrı'nın krallığıyla ve çarmıhın anlamıyla alakalı yanlış bilinen şeyleri düzeltiyor. "

—Kevin DeYoung, Pastör, University Reformed Church,
East Lansing, Michigan

"Greg Gilbert kiliseyi, onu ortaya çıkaran kaynağa geri çağırmış. Yazar, bizlere Müjde'nin Kutsal Kitap'a göre ne demek olduğunu kısa ve öz bir şekilde gösteriyor."

—Başepiskopos Peter J. Akinola,
Nijerya Kilisesi Başepiskoposu, Anglikan Topluluğu

"Greg Gilbert sorulabilecek en önemli soruya, kafa karışıklığını ortadan kaldıracak şekilde Kutsal Kitap'a başvurarak cevap veriyor. Tanrı'nın İsa'da gerçekleştirdiği iyi haberin ne olduğunu bildiğinizi düşünüyorsanız bile, Gilbert Tanrı'nın yüce Müjdesi'ne olan bakışınızı daha da derinleştirecektir."

—Collin Hansen, *Christianity Today*, bağımsız editör

"İmanın esaslarıyla alakalı konularda kafa karışıklığının hüküm sürdüğü günümüz Hristiyan kültüründe, Greg Gilbert, Müjde'ye hem inanan hem de henüz inanmayanlar için merak uyandıran, ikna edici bir resim çiziyor. Tanrı'nın Sözü'yle dolu olan, çarmıhı merkezine alan ve Tanrı'yı yücelten *Müjde Nedir?* kitabı, dikkatinizi çekecek ve bizleri kendi yüceliği için lütfuyla kurtaran Tanrı uğruna yüreklerinizdeki sevgiyi alevlendirecektir."

—David Platt, Pastör, The Church at Brook Hills,
Birmingham, Alabama

"Müjde'yi açık bir şekilde anlıyor olmak hem Müjde'nin kendisine güvenmeyi hem de Müjde'nin getirdiği temel gerçeklere güvenmeyi kolaylaştırır. Bu harika kitap, Kutsal Kitap'a sadık ve açık bir dille yazılmış bir kitap ve Müjde'ye yeniden odaklanmanızı sağlayarak okumanın karşılığını verecek."

—William Taylor, Rektör, St. Helen Bishopsgate, London

"Kutsal Kitap'ın merkezini düşündüğümde, yüreğim hemen Müjde'yle doluyor. Müjde'yi seven birçok kişi tanıyorum ama Tanrı'nın Müjdesi'ni daha çok sevmeye ve anlamaya her zaman açığım. Greg Gilbert bu kitabı yazarak bizlere, Müjde'yi daha çok sevip anlamakta yardımcı oluyor."

—Johnny Hunt, Başkan, the Southern Baptist Convention,
Pastör, First Baptist Church, Woodstock, Georgia

"Bu kitabı derin yapan şey, aslında basit olması. Belki de Hristiyanların yaptığı en büyük hatalardan biri, Kutsal Kitap'ın kesin ve net sesine kulak vermeden, Müjde'nin anlamıyla ilgili varsayımlarda bulunmak. Bu kitap için belki de Hristiyan inancıyla ilgili okuyacağınız en önemli kitap demek abartı olmayacaktır."

—Rick Holland, Pastör, Grace Community Church,
Sun Valley, California

Moriah için.
Seni çok, ama çok seviyorum.

İÇİNDEKİLER

KİTAP SERİSİNE DAİR

9Marks kitap serisi, iki temel fikir üzerine kurulmuştur. Bunlardan ilki, yerel kilisenin Hristiyanlar için taşıdığı önemin, aslında onların düşündüğünden çok daha büyük olmasıdır. 9Marks olarak bizler sağlıklı bir Hristiyan'ın, sağlıklı bir kilise üyesi olduğuna inanıyoruz.

İkincisi, yerel kiliseler yaşamlarını Tanrı'nın Sözü etrafında kurdukça kilise yaşamı büyür ve kilise canlılık kazanır. Tanrı konuşmaktadır. Kiliseler de O'nu dinlemeli ve O'nun ardından gitmelidir. Durum bu kadar basittir. Bir kilise Tanrı'yı dinlediğinde ve O'nun ardından gittiğinde, ardından gitmekte olduğu Kişi'ye benzemeye başlar. O'nun sevgisini ve kutsallığını yansıtır. O'nun yüceliğini gözler önüne serer. Bir kilise, ancak O'na kulak verdiği ölçüde O'na benzeyecektir.

Bu hususta okuyucular da fark edecektir ki, Mark Dever'ın *Sağlıklı Bir Kilisenin Dokuz İşareti / Nine Marks of a Healthy Church* (Crossway Books) adlı kitabından alınan "9 işaretin" tümü, Kutsal Kitap'la başlamaktadır:

- Açıklayıcı vaaz;
- Kutsal Kitap teolojisi;
- Kutsal Kitap'a dayalı Müjde anlayışı;
- Kutsal Kitap'a dayalı Mesih'e dönme anlayışı;
- Kutsal Kitap'a dayalı müjdeleme anlayışı;
- Kutsal Kitap'a dayalı kilise üyeliği anlayışı;

- Kutsal Kitap'a dayalı kilise disiplini anlayışı;
- Kutsal Kitap'a dayalı öğrenci yetiştirme ve büyüme anlayışı; ve
- Kutsal Kitap'a dayalı kilise önderliği anlayışı.

Kiliselerin sağlıklı olmak için yapması gereken şeylere dair, dua etmeleri gibi, daha birçok şey söylenebilir. Ancak bu dokuz prensip, bize göre (duadan farklı olarak) en çok göz ardı edilenlerdir. Dolayısıyla kiliselere vermeye çalıştığımız mesaj şudur: "En iyi pazarlama yöntemlerine ve yeni trendlere bakmayın; Tanrı'ya bakın. İşe tekrar Tanrı'nın Sözü'nü dinleyerek başlayın."

9Marks kitap serisi, bu genel projemiz doğrultusunda ortaya çıkmıştır. Bu kitaplar, bahsettiğimiz dokuz işarete odaklanmakta ve onları farklı açılardan ele almaktadır. Bazı kitaplar pastörleri, bazılarıysa kilise üyelerini hedef almaktadır. Umuyoruz ki bu kitaplar, insanların Kutsal Kitap'ın bakış açısıyla değerlendirmeler yapmalarını, teolojik anlamda akıl yürütmelerini, mevcut kültürü gözden geçirmelerini, toplu bir biçimde uygulamaya geçmelerini ve belki biraz da olsa bireysel anlamda teşvik bulmalarını sağlayacaktır. En iyi Hristiyan kitapları, her zaman hem teolojiyi hem de uygulamayı bir araya getiren kitaplar olmuştur.

Duamız, Tanrı'nın bu kitabı ve diğerlerini kullanarak gelinini, yani kiliseyi, kendi geliş günü için nur ve ihtişamla hazırlamasıdır.

ÖNSÖZ

Hristiyan teolojisi öğrencilerine otuz yıldan fazla süredir öğretmenlik yapmak, bana en çok tartışma yaratan soruların kuşaktan kuşağa değiştiğini gösterdi. Bu, geniş anlamda Hristiyan toplumu için de geçerlidir. Bir dönem büyük bir tartışma yaratmak istiyorsanız, "Karizmatik hareket hakkında ne düşünüyorsunuz?", "Kutsal Yazılar'ın yanılmazlığı savunmaya değer bir kavram mıdır?" ya da "Arayışta olan kişileri hedef alan kiliseler hakkında ne düşünüyorsunuz?" diye sormanız yeterliydi. Bugün de bunları tartışmak isteyen insanlar bulmanız kolaydır ama bunlar artık eskisi kadar ateşli konular değil. Bugün büyük bir tartışmanın ateşini yakacak soru –ki bu kitabın yazarı da bu konuya parmak basmakta– "Müjde nedir?" sorusudur. Bunun yanına yakın akrabası olan şu soru da eklenebilir: "Müjdecilik nedir?"

Bu soruların birbirine ters düşen cevaplar ortaya çıkarması ve çoğunlukla da verilen cevapların Kutsal Kitap'a çok az başvurularak dogmatik bir şekilde savunulması, doğrusu endişe vericidir çünkü iki konu da son derece temel konulardır. Müjdeci (evanjelik) Hristiyanlar, "evanjel" kavramının (evanjel, "Müjde" anlamına gelmektedir) ne olduğu hakkında farklı fikirlere sahiptirler. Bu durum karşısında da elimizde iki seçenek kalmaktadır. Ya Müjdecilik (evanjelik) hareketi Müjde'nin ne olduğu konusunda ortak bir kanıya varamamış ve Rab tarafından bizlere "emanet edilen iman uğrunda mücadele etme" gibi bir sorumluluk taşımayan bir olgudur ya da kendisine müjdeci diyen birçok insanın, kendilerini bu şekilde adlandırmaya hakları yoktur çünkü "evanjel"i, yani Müjde'yi terk etmişlerdir.

Greg Gilbert bu kitap aracılığıyla, daha önce hiç görülmemiş denizlere yelken açmak yerine, asla göz ardı edilmemesi gereken ve asla terk edilmemesi gereken eski ve temel bir konuya değiniyor. Greg'in düşünce süreci ve bunu anlaşılır biçimde aktarma şekli tümüyle takdire şayan. Bu kitap, açıkçası birçok olgun Hristiyan'ın düşüncesini geliştirecek. Daha da önemlisi, bu kitap kilise önderleri arasında yaygın şekilde dağıtılacak ve hatta Mesih'e henüz iman etmemiş ve Müjde'nin daha açık bir anlatımını duymak isteyenlere de verilecek türden bir kitaptır. Okuyun ve cömertçe dağıtmak için bir miktar daha satın alın.

D. A. Carson

GİRİŞ

İsa Mesih'in Müjdesi Nedir?

Bu sorunun özellikle Hristiyanlar için cevaplandırması kolay bir soru olacağını düşünebilirsiniz. Hatta böyle bir kitap yazmanın, yani Hristiyanları "Müjde nedir?" sorusuna daha dikkatli yaklaşma ve düşünmeye davet eden bir kitap yazmanın tamamen gereksiz olduğunu da düşünebilirsiniz. Bu aslında, birkaç marangozun yanına gidip "Çekiç nedir?" diye sormak gibi bir şeydir.

Sonuçta İsa Mesih'in Müjdesi, Hristiyanlığın tam merkezinde yer almaktadır ve biz Hristiyanlar, Müjde'nin diğer her şeyden üstün ve daha önemli olduğunu iddia ederiz. Müjde, hayatlarımızı ve kiliselerimizi üzerine kurmaya çalıştığımız bir temel gibidir. Başkalarıyla paylaştığımız şeydir ve aynı zamanda da duymaları ve iman etmeleri için dua ettiğimiz şeydir.

Peki siz, Hristiyanların Müjde'nin özünü ne kadar iyi kavradığını düşünüyorsunuz? Biri size, "Siz Hristiyanların her tarafta ısrarla anlattığınız bu haber nedir? Bu haberi bu kadar iyi yapan şey nedir?" diye sorduğunda, o kişiye nasıl cevap verirsiniz?

Bana kalırsa birçok Hristiyan, bu soruya Kutsal Kitap'ın İsa Mesih'in Müjdesi'yle ilgili verdiği cevaba kıyasla çok eksik cevaplar verecektir. Belki de "Müjde, Tanrı'ya inanırsanız, O'nun sizin günahlarınızı affedeceğidir" derler. Ya da "Tanrı seni seviyor ve senin için harika bir planı var." Ya da "Sen Tanrı'nın çocuğusun ve Tanrı, kendi çocuklarının her anlamda ve her şekilde bolluk içinde ve başarılı olmasını ister." Bazıları bu noktada, İsa'nın çarmıhta ölümü ve dirilişiyle ilgili bir şeyler söylemenin önemli olduğunu bilebilir ama yine de bunların hepsini nasıl bir araya getireceksiniz ki?

Gerçek şu ki, Hristiyanları *Müjde nedir?* sorusuna ortak bir cevap vermeye ikna etmek, olması gerektiği kadar kolay değildir. Ben 9Marks adında, Washington DC'deki, Capitol Hill Baptist Kilisesi'ne bağlı bir hizmette çalışıyorum. Çıkardığımız eserleri okuyup yorumda bulunan çoğu kişi, müjdeci (evanjelik) Hristiyanların sadece küçük bir bölümünü oluşturan bir kesimin üyesidir. Onlar Kutsal Kitap'ın doğru ve yanılmaz olduğuna, İsa'nın çarmıhta ölüp bedence dirildiğine, insanların günahkâr ve kurtuluşa muhtaç olduğuna inanırlar ve genellikle de Müjde merkezli, Kutsal Kitap'a bağlı insanlar olmaya çalışırlar.

Peki sizce yazdıklarımız arasından en çok yorum alan ve hararetli cevaplara yol açan konu hangisidir? Evet, Müjde konusu. Vaaz, danışmanlık, öğrenci yetiştirme, kilise yönetimi ve hatta kilise müziği hakkında yazıp aylarca tartışabiliriz. Bu konularda okuyucularımızdan gelen cevaplar ilginç olabiliyor ama çok da şaşırtıcı olmuyorlar. Ancak ne zaman Hristiyanlığın Müjdesi'ni açıklayan bir makale yayınlayalım desek, gelen cevaplar oldukça çarpıcı olmakta.

Bir süre önce bir arkadaşım internet sitemize, bir röportaj sırasında Müjde'yi tanımlaması istenen ünlü bir Hristiyan sanatçıyla ilgili kısa bir yazı yazdı. Sanatçı şöyle demişti:

> Ne kadar harika bir soru. Sanırım ben şöyle... benim buna cevabım içgüdüsel olarak, Müjde İsa'nın gelmesi, yaşaması, ölmesi ve dirilmesi ve geçmiş ve geleceği kendisinde birleştirip tamamlaması... ve bunların kendisiyle gerçekleşmesi... her şeyin doğru haline geri dön-

> dürülmesi... iman edenlerin tamamının yüreklerinde ve hayatlarında olmaya başlayan ve yaşamakta olan ama aynı zamanda bir gün tümüyle gerçekleşecek olması. Ama iyi haber, Müjde, Müjde'nin bize konuşması, bence krallığın geliyor olması haberidir. O'nun krallığının tamamlanışı gelmekte... benim hislerim bu yönde.

Birkaçımız şu soruları sorduk: "Müjde'den bahsediyorsak, İsa'nın ölümüyle ve dirilişiyle ilgili *açıklama*ları da eklememiz gerekmez mi?" Ya da "Günah ve bunun sonucu olan Tanrı'nın gazabından kurtuluşa muhtaç olmamızla ilgili bir şeyler söylememiz gerekmiyor mu?"

Yayınlanan bu gönderi serisine gelen cevap ve yorumlar inanılmazdı. Kelimenin gerçek anlamıyla aylar boyunca bununla ilgili onlarca mesaj aldık. Bize yazanların bazıları, bu önemli konuyu tartışmaya açtığımız için teşekkür ederken, diğerleri de İsa'nın, krallığının gelişiyle ilgili vaaz ettiğini, dolayısıyla da Müjde'yi bu şekilde anlatmanın neden yanlış olduğunu soruyordu. Yine başka okuyucular, Hristiyanların Müjde'yi nasıl daha iyi anlatabilecekleri konusunda derin derin düşündüklerini duymaktan memnun olmuşlardı.

Bir yandan, Hristiyanların Müjde'yle ilgili tartışmalarda heyecanlı olduğunu görmek beni mutlu ediyor. Çünkü bu, Müjde'yi ciddiye aldıklarını ve hakkında derin düşüncelere sahip olduklarını gösteriyor. Hristiyanlar içerisinde Müjde'nin nasıl tanımlandığının ve nasıl anlaşıldığının hiç umursanmamasından daha sağlıksız bir şey olmazdı. Buna karşın, bu tartışmaların yarattığı enerji, bence bize günümüzde Müjde etrafında dolanan bir sis bulutu, bir kafa karışıklığı olduğunu gösteriyor. Konu Müjde'ye geldiğinde, kendine müjdeci (evanjelik) diyen Hristiyanlar bile, Müjde'nin ne olduğu konusunda birbiriyle aynı fikirde olamıyor.

Kendini müjdeci (evanjelik) Hristiyan olarak tanımlayan yüz kişiye İsa'nın Müjdesi'nin ne olduğunu sorsanız, sanırım altmışa yakın farklı cevap duyabilirsiniz. Müjdeci (Evanjelik) vaazlar dinlediğinizde, kitaplar okuduğunuzda, internet sitelerine baktığınızda, çeşit çeşit Müjde tanımı görürsünüz ve üstelik bu tanımlar birbirleriyle de örtüşmemektedirler. Bulduklarımdan bazıları şöyle:

> Müjde şu ki, Tanrı size harika lütfunu *göstermek istiyor.* Hayatınızı "yeni şarapla" doldurmak istiyor ama siz "eski şarap tulumlarınızı" atmaya istekli misiniz? Daha büyük düşünmeye başlayacak mısınız? Daha geniş açıdan bakıp sizi geride tutan o eski, olumsuz bakış açınızdan kurtulacak mısınız?
>
> Bir cümlede Müjde şudur: İsa bizim için öldüğünden dolayı, O'na güvenenler, artık günahlarının bir defada ve sonsuza dek bağışlanmış olduğunu bilirler. Tanrı'nın yargı mahkemesinde ne dememiz gerekecek? Sadece tek bir şey. İsa benim yerime öldü. Müjde budur.
>
> İsa'nın mesajı, tüm zamanların en devrimci mesajı olarak adlandırılabilir: "Tanrı'nın radikal anlamda devrim yaratan krallığı geldi, barış ve esenlikle ilerliyor, topraklarını iman, umut ve sevgiyle genişletiyor. En fakirlerden, zayıflardan, yumuşak başlı olanlardan ve sonunculardan başlıyor. Yeni bir yaşam yolu için zaman geldi. Her şey değişmek üzere. Bana inanın. Beni izleyin. Bu iyi habere inanın, öyle ki bu devrimin bir parçası olarak yaşamayı öğrenebilesiniz."
>
> İyi haber, Tanrı'nın yüzünün her zaman, ne yapmış olursan ol, nerede bulunmuş olursan ol ve kaç hata yapmış olursan ol, sana dönük olacak olmasıdır. Tanrı seni seviyor ve sana dönmüş bir şekilde seni aramakta.

Müjde, çarmıha gerilmiş ve dirilmiş olan Mesih İsa'nın, dünyanın tek ve gerçek Rab'bi olduğunun duyurusudur. İyi haber! Tanrı, Kral oluyor ve bunu İsa aracılığıyla yapıyor! Yani, ucuz atlattık! Tanrı'nın adaleti, Tanrı'nın barışı, Tanrı'nın dünyası yenilenecek. Tüm bunların ortasında da, tabii ki, bu sizin ve benim için iyi haber. Ama bunlar, aslında İsa hakkındaki mesaj olan iyi haberin, sizi ve beni etkileyen dolaylı ve ikincil sonuçları. Özünde Müjde, sizin kim olduğunuz ve size ne olacağıyla alakalı bir şey değildir. Bunlar Müjde'den çok, Müjde'nin sonuçlarıdırlar... Kurtuluş, Müjde'nin sonucudur, merkezi değil.

Müjde, İsa'nın iki anlamda açıklanmasıdır. Müjde, Tanrı'nın imkânlar aleminin (krallığının), insanların imkânlar alemine varışının İsa tarafından yapılan duyurusudur. Ama Müjde, aynı zamanda da İsa hakkındaki bir duyurudur. İsa'nın ölümü ve dirilişiyle, kurduğu krallığa artık bizim de girebileceğimiz iyi haberini duyurur.

Bir Hristiyan olarak, kendimi belirli bir şekilde yaşamaya, İsa'nın bize mümkün olduğunu öğrettiği şekilde yaşamaya adapte etmeye çalışıyorum. Bence İsa'nın yolu, yaşanabilecek en güzel yol... İsa gibi yaşamaya ciddi şekilde çalıştığınızda, zaman geçtikçe daha derin şeylerin olmakta olduğunu da fark ediyorsunuz. İsa gibi yaşamanın en iyi yol olmasının, dünyanın düzeninde çok derin kökleri olduğunu anlamaya başlarsınız. Nihai gerçeklikle çok daha uyum içerisinde yaşamaya başlarsınız. Evrenin çalışma şekliyle çok derin bir şekilde uyumlu olmaya başlarsınız... İlk Hristiyanlar, İsa'nın işte bu yoluna "iyi haber" demişlerdir.

Benim İsa'nın mesajından anladığım şu ki, O bize burada ve bugün de geçerli olmak üzere, Tanrı'nın gerçeğinde

> şu anda nasıl yaşayacağımızı öğretiyor. Bu sanki İsa'nın bize devamlı şöyle demesi gibi: "Hayatınızı değiştirin. Böyle yaşayın."

Size neden Müjde'nin etrafı bir sis bulutuyla kaplı dediğimi şimdi anlıyor musunuz? Daha önce Hristiyanlık hakkında hiçbir şey duymamış olsaydınız, alıntı yaptığım bu sözleri duyduğunuzda ne düşünürdünüz?

Bariz bir şekilde Hristiyanların iyi bir mesaj vermeye çalıştığını bilirdiniz ama bunun ötesinde, durum tam bir karmaşa gibi görünmekte. İyi haber basitçe, "Tanrı beni seviyor ve daha pozitif düşünmeliyim" demek mi? Ya da Müjde, İsa'nın duyarlı ve sevgi dolu bir hayat yaşamamız için iyi bir örnek olması mı? Belki de bu iyi haberin günah ve bağışlanmayla bir ilgisi vardır. Görüldüğü üzere bazı Hristiyanlar, Müjde'nin İsa'nın ölümüyle alakalı olduğunu düşünüyorlar. Diğerleriyse böyle düşünmemekte. Burada yapmaya çalıştığım şey, bu alıntılardan hangisinin daha iyi ya da daha kötü olduğuna karar vermek değil (her ne kadar bu kitabı okuduktan sonra sizin buna karar verebilecek duruma gelmenizi umut etsem de). Burada amaç, "Müjde nedir?" denildiğinde insanların aklına ne kadar farklı şeyler geldiğini görmek. Bu kitap aracılığıyla bu soruya, Kutsal Kitap'ın Müjde öğretisine dayalı, açık bir cevap vermek istiyorum. Bu süreçte, umut ettiğim ve dua ettiğim birkaç konu var.

İlk olarak, eğer bir Hristiyansanız, duam bu kısa kitabın (ve daha da önemlisi kitabın açıklamaya çalıştığı yüce gerçeklerin) yüreğinizi sevinçle ve aynı zamanda sizin uğrunuza gerçekleştirdiği şeylerden dolayı İsa Mesih'i yüceltme isteğiyle doldurmasıdır. Zayıf bir Müjde anlayışı, zayıf bir tapınma doğuracaktır. Bu da gözlerimizi olması gereken yerden, Tanrı'dan, kendimize çevirmemize ve Tanrı'nın bizler için Mesih'te yaptıklarının değersizleştirilmesine neden olur. Oysa aksine Kutsal Kitap'taki Müjde, bir tapınma fırınına atılan yakıt gibidir. Müjde'yi daha çok anladıkça, ona daha çok inandıkça ve ona daha çok bel bağladıkça, Tanrı'ya, karakteri ve Mesih'te bizim için yaptıklarından dolayı da daha çok hayranlık duyarsınız. Pavlus'un yüreği de Müjde'yle o kadar dolmuştur ki, şöyle haykırmıştır: "Tanrı'nın zenginliği ne büyük, bilgeliği ve bilgisi ne derindir! O'nun yargıları ne denli akıl ermez, yolları ne denli anlaşılmazdır!" (Rom. 11:33)

İkinci olarak, bu kitabın size, başkalarıyla İsa'nın iyi haberi hakkında konuşurken daha fazla güven vermesini umuyorum. Soruları tam cevaplayamama korkusuyla, ailesi, arkadaşları ve tanıdıklarıyla Müjde'yi paylaşmaktan çekinen sayısız Hristiyan tanıdım. Aslında bu bir bakıma doğru çünkü kaç yaşında olursanız olun, kim olursanız olun, *bütün* soruları cevaplayamazsınız. Yine de en azından bu sorulardan *bazılarını cevaplayabilirsiniz* ve ben de bu kitabın *daha fazla* soruyu cevaplayabilmenize yardımcı olacağını umuyorum.

Üçüncü olarak, Müjde'nin kilise hayatında sahip olduğu önemi anlamanız ve bu önemi anladıktan sonra da kilisede Müjde'nin vaaz edildiğinden, ezgiye döküldüğünden, duyurulduğundan ve kilisenin her alanında işitildiğinden emin olmak adına eyleme geçmeniz için dua ediyorum. Pavlus, Tanrı'nın bilgeliğinin dünyaya kilise aracılığıyla açıklanacağını söylüyor. Peki nasıl mı? Tanrı'nın dünyayı kurtarmak üzere yaptığı sonsuz tasarıyı "herkes için" gözler önüne seren Müjde'nin duyurulması aracılığıyla (Ef. 3:7-12).

Dördüncü olarak, bu kitabın aklınızdaki ve yüreğinizdeki Müjde'yi daha da sağlamlaştırmasını umuyorum. Müjde keskin bir mesajdır ve bu dünyanın düşüncelerine ve öncelik olarak gördüğü şeylere derin kesikler açar. Maalesef müjdeciler arasında bile, her zaman Müjde mesajını yumuşatıp onun sivri kenarlarından kurtulma, onu dünya tarafından daha kolay kabul edilebilir bir hale getirme yönelimi olmuştur. Bu kitap aracılığıyla bu sivri kenarlar korunsun ve dünya için bunları kabul etmek ne kadar zor olsa da, İsa'nın Müjdesi'nin olmazsa olmaz gerçekleri kaybolmasın diye dua ediyorum. Hepimiz karşıdaki kişileri kazanmak isteyen tanıklar olmak adına Müjde'yi olabildiğince çekici bir şekilde sunma arzusuna kapılıyoruz. Bu bir açıdan pek de problem değil. Sonuçta "iyi haber"den bahsediyoruz. Ama Müjde'nin keskin noktalarını köreltmemeye de dikkat etmek zorundayız. Müjde'yi keskin tutmalıyız ve umarım bu kitap bunu yapmamıza yardımcı olur.

Son olarak, eğer bir Hristiyan değilseniz, bu kitabın sizi yerinizden kaldırıp İsa Mesih'in Müjdesi'ni daha derin bir şekilde düşünmeye teşvik etmesi için dua ediyorum. Bu mesaj, biz Hristiyanların hayatlarımızı uğruna inşa ettiğimiz şeydir ve inanıyoruz ki bu şey, sizin de bir cevap vermenizi gerekli kılmaktadır. Eğer dünyada görmezden gelmeyi göze alamayacağınız bir şey varsa, o da Tanrı'nın "İyi haber! İşte yargımdan kurtulmanın yolu!" deyişidir. Bu tür bir duyuru, dikkat kesilmeniz gereken bir duyurudur.

BİRİNCİ BÖLÜM

Kutsal Kitap'ta Müjde'yi Bulmak

GPS sistemlerinin bu aralar Amerika Birleşik Devletleri'ni alt üst ettiğini biliyor muydunuz? Bu özellikle küçük şehirlerde böyle. Büyük şehirlerdeyse bu küçük makineler birer cankurtaran haline geldi. GPS'i takın, adresi yazın ve yola çıkmaya hazırsınız. Yanlış yola girmek, yanlış yerden dönmek artık bir sorun değil, sadece siz, otomobil ve bir "ding" sesi! "Hedefe ulaşıldı!"

Ben de Washington DC'nin yollarının tasarımını yapan her kimse, ona isyan edercesine yakın zamanda kendime bir GPS cihazı aldım. Ama cihazla ilk tanışmam aslında Washington'da olmadı. İlk tanışmam büyük şehirlerden biraz uzakta kalan, küçük kırsal bir şehir olan Linden, Texas'taydı.

Görünüşe göre GPS'im hiçbir sorun yaşamadan, Washington'un her yerine gidip gelebiliyor. Şaşırtıcı olansa, Linden yollarında çok sorun yaşaması. GPS'in var olduğuna emin olup rotalar çıkardığı yollar aslında yoktu. Dön dediği yerlerde dönecek bir yol yoktu. Beni götürdüğü adresler yerinde değildi ve birkaç yüz metre uzakta bulunuyordu, hatta bazen hiç yoktu.

Anlaşılan o ki, GPS'lerin küçük şehirler hakkındaki bilgi eksiklikleri gittikçe büyüyen bir problem. ABC News'un yaptığı bir habere göre bazı mahalle yolları, GPS'lerin, trafiği otoyollar yerine buradan yönlendirmesi nedeniyle ana yollara dönüşmüş durumda. Başka problemler de var. California'da yaşayan zavallı bir adam, sağa doğru bir dönüş yapıp kendini raylarda, gelmekte olan bir lokomotifin karşısında bulduğunda, sadece GPS'i takip ettiğini iddia ediyordu! Kendisi hayatını kaybetmedi ama adamın kiralık aracı, arızalı GPS cihazıyla beraber kazayı o kadar ucuz atlatamadı.

Amerikan Otomobilciler Odası'ndan bir temsilci, konuya son derece "duyarlı" bir şekilde yaklaştı ve şöyle dedi: "Görüyoruz ki GPS, raylara doğru dönmesini söyleyerek hata yaptı ama sadece bir makine size potansiyel olarak tehlikeli bir şeyi yapmanızı söylüyor diye sizin bunu yapmanız gerekmez." Aynen öyle!

Öyleyse neler oluyor? GPS üreticileri, problemin cihazların kendisinde olmadığını söylüyorlar. Cihazlar yapmaları gereken şeyi eksiksiz şekilde yapıyor. Asıl sorun, cihazlara indirilen haritalardan kaynaklanıyor. Anlaşılıyor ki, özellikle küçük şehirlerde cihazlara yüklenen haritalar bazen birkaç, hatta onlarca yıl öncenin haritaları oluyor. Bazense bu haritalar şehir planlamacılarının, şehrin büyüyeceği şekli *hayal ettikleri* haritalar oluyor. Peki sonuç? Bazı durumlarda planlama haritalarındaki bazı adresler, şehrin kurulduğu dönemde bambaşka bir noktada olmuş oluyor. Bazen planlamacıların yapmayı düşündüğü yollar aslında hiç yapılmamış oluyor ve bazen de otoyol olarak değil, tren yolu olarak yapılmış oluyorlar!

Tıpkı gerçek hayatta olduğu gibi GPS dünyasında da bilgilerinizi güvenilir bir kaynaktan almanız çok önemli!

Bizim Yetkimiz Nedir?

"Müjde nedir?" sorusuna geldiğimizde de aynı şey geçerli. Konunun en başında, bu soruyu cevaplamak için nasıl bir bilgi kaynağı kullanacağımıza karar vermemiz gerekir.

Müjdeci* Hristiyanlar için aslında cevap kolaydır: Bizler cevabı Kutsal Kitap'ta buluruz.

Bu doğrudur ama herkesin bu cevabı tamamen kabul etmediğini bilmemizde fayda var. Farklı "Hristiyan" gelenekleri, bu yetki sorusuna farklı cevaplar vermişlerdir. Bazıları cevabımızı sadece Kutsal Kitap'a, Tanrı Sözü'ne değil, aynı zamanda Hristiyan geleneğine de dayandırmamız gerektiğini savunur. Bu görüşe göre, eğer kilise bir şeye uzun süredir inanmışsa, bizim de bunu gerçek olarak kabul etmemiz gerekir. Başkalarıysa gerçeğe, mantık ve sorgulama çerçevesinde ulaşabileceğimizi savunur. Bilgimizi sıfırdan, en baştan inşa etmek (A, bizleri B'ye, B, C'ye ve C, D'ye götürecektir) kendimizi, dünyayı ve Tanrı'yı daha doğru bir şekilde anlamamıza yardımcı olacaktır. Yine bazıları da Müjde gerçeğini kendi deneyim ve yaşantılarımızda aramamız gerektiğini söylüyorlar. Yani yüreğimize en çok dokunan neyse, kendimiz ve Tanrı hakkında gerçek olanın da o olduğunu anlarız.

Ama üzerinde yeterince düşünürseniz, göreceksiniz ki, bu üç potansiyel yetki kaynağının hiçbiri aslında vaat ettiği şeyi yapamamaktadır. Gelenek, bizim sadece insanların fikirlerine güvenmemize neden olur. Mantık, birinci sınıf felsefe öğrencilerinin bile söyleyeceği gibi, bizim şüphecilik içinde savrulmamıza neden olur (Örneğin, bir başkasının hayalinin ürünü olmadığınızı veya beş duyunuzun gerçekten güvenilir olduğunu *kanıtlamaya* çalışın). Kişisel deneyimlerse bizi gerçeğin ne olduğu konusunda dönek yüreklerimize güvenmek zorunda bırakır ve bu da en dürüst insanların en iyi ihtimalle tedirgin edici buldukları bir olasılıktır.

Öyleyse ne yapmalıyız? Gerçeğin ne olduğunu ve İsa Mesih'in iyi haberinin gerçekten ne olduğunu bilmek için nereye

---

* Ç.N. Bu kitapta kullanılan "müjdeci" kelimesiyle, Müjde'yi yayan herkes değil, sadece evanjelik akımından olan kişiler kastedilmektedir.

gidebiliriz? Hristiyanlar olarak bizler, Tanrı'nın bizimle Kutsal Kitap'ta, Sözü aracılığıyla konuşmakta olduğuna inanırız. Dahası, bizler Tanrı'nın Kutsal Kitap'ta söylediklerinin kesin ve yanılmaz gerçekler olduğuna inanırız ve dolayısıyla bu da bizleri şüphecilikten, çaresizlikten veya kararsızlıktan uzak tutar ve bizlere güven verir. "Kutsal Yazılar'ın tümü Tanrı esinlemesidir ve öğretmek, azarlamak, yola getirmek, doğruluk konusunda eğitmek için yararlıdır" (2. Tim. 3:16). Kral Davut şöyle yazmıştır:

> Tanrı'nın yolu kusursuzdur,
> RAB'bin sözü arıdır. (Mez. 18:30)

Bu sebeple Tanrı'nın, Oğlu İsa Mesih'le ve Müjde'nin iyi haberiyle ilgili bizlere neler söylediğini bulmak için gözlerimizi diktiğimiz yer, Tanrı'nın Sözü'dür.

Kutsal Kitap'ta Nereye Bakmalıyız?

Peki bunları bulmak için Kutsal Kitap'ta nereye bakmalıyız? Bu konuda birkaç farklı yaklaşım var. Yeni Antlaşma'da Müjde kelimesinin geçtiği yerlerin tümüne bakarak, yazarların ne demek istediğiyle ilgili birtakım çıkarımlarda bulunulabilir. Gerçekten de, yazarların Müjde'yi dikkatlice tanımladığı yerler vardır.

Bu yaklaşımdan öğrenebileceğimiz bazı önemli şeyler olsa da, burada bazı eksiklikler de vardır. Birincisi, yazarlar birçok yerde Hristiyanlığın iyi haberini tanımladıkları halde, bunu *Müjde* kelimesini kullanmadan yapmaktadırlar. Örneğin Elçilerin İşleri 2. bölümde Petrus'un Pentikost günü verdiği vaazı ele alalım. Eğer Müjde'nin duyurulduğu bir yer varsa, bu kesinlikle o yerlerden biridir. Ama yine de Petrus *Müjde* kelimesini kullanmamıştır. Bir başka örnek, bu kelimeyi Yeni Antlaşma yazılarında sadece bir kez kullanmış olan Elçi Yuhanna'dır (Vah. 14:6)!

Şimdilik şöyle bir yol izlemeyi öneririm: Hristiyan Müjdesi'nin ana hatlarını tanımlamaya çalışırken, bir kelime çalışması yapmak yerine, erken dönemdeki Hristiyanların İsa hakkında ve O'nun hayatının, ölümünün ve dirilişinin önemi hakkında neler söylediklerine bakalım. Elçilerin Kutsal Kitap'taki yazılarına ve vaazlarına bakarsak, onların Müjde'ye dair bizzat İsa'dan öğrendikleri şeyleri bazen kısaca ve bazen de uzun uzun açıklayıp anlattıklarını göreceğiz. Belki de erken dönemdeki Hristiyanların, İsa'nın iyi haberini sunarken ortak olarak değindiği bazı soruları veya temel aldıkları belirli bir modeli de fark edebileceğiz.

Romalılar 1-4'te Müjde

Müjde'nin basit bir açıklamasını arıyorsak, bakabileceğimiz en iyi yerlerden biri Pavlus'un Romalılar mektubudur. Romalılar, belki de Kutsal Kitap'taki diğer kitaplardan daha açık bir biçimde Pavlus'un Müjde olarak anladığı şeyi adım adım ve incelikle aktarmaktadır.

Aslında Romalılar kitabı, tam olarak bir *kitap* değildir. Romalılar bir mektuptur ve bu mektup Pavlus'un kendini ve mesajını daha önce hiç tanışmadığı bir grup Hristiyan'a tanıtma şeklidir. Bu nedenle mektubun gidişatı sistematik ve adım adımdır. Pavlus kendi hayatını, hizmetini ve özellikle de paylaştığı mesajı, Roma'daki Hristiyanların bilmesini istiyordu. Vaaz etmekte olduğu Müjde'yle, onların inandığı Müjde'nin aynı olduğunu bilmelerini istiyordu.

Pavlus sözlerine şöyle başlar: "Çünkü Müjde'den utanmıyorum. Müjde iman eden herkesin -önce Yahudilerin, sonra Yahudi olmayanların- kurtuluşu için Tanrı gücüdür" (Rom. 1:16). Buradan itibaren, özellikle sonraki dört bölüm boyunca Pavlus, İsa'nın Müjdesi'ni harika detaylarla anlatıyor. Bu bölümlere baktığımızda Pavlus'un, Müjde'yı bazı hayati gerçekler çerçevesinde sunduğunu görüyoruz ve bu gerçekler de elçilerin Müjde vaazlarında tekrar tekrar ortaya çıkan gerçeklerdir. Pavlus'un Romalılar 1. ve 4. bölümler arasındaki düşüncelerine bakalım:

İlk olarak Pavlus okuyuculara, hesap verecekleri kişinin Tanrı olduğunu söylüyor. Romalılar 1:1-7'de yaptığı girişten sonra Pavlus, Müjde sunumuna şu sözlerle başlıyor: "Tanrı'nın gazabı gökten açıkça gösterilmektedir" (18. ayet). Bu ilk sözleriyle Pavlus, insanlığın egemen (özerk) olmadığını ısrarla vurguluyor. Bizler kendi kendimizi yaratmadık ve yalnızca kendimize bağımlı veya kendimize hesap verecek değiliz. Hayır, dünyayı ve biz de dahil olmak üzere içindeki her şeyi yaratan, Tanrı'dır. Bizi yarattığı için de Tanrı, kendisine tapınmamızı isteme hakkına sahiptir. Pavlus'un 21. ayette ne dediğine bakalım: "Tanrı'yı bildikleri halde O'nu Tanrı olarak yüceltmediler, O'na şükretmediler. Tersine, düşüncelerinde budalalığa düştüler; anlayışsız yüreklerini karanlık bürüdü."

Pavlus insanlığı şununla suçluyor: onlar Tanrı'yı yüceltmeyerek ve O'na şükretmeyerek günah işlediler. Tanrı tarafından yaratılmış ve O'na ait olan insanlar olarak, O'na gereken övgü ve yüceliği sunmak, O'nun üzerimizde sahip olduğu yetkiye boyun eğecek şekilde yaşamak, konuşmak, davranmak ve düşünmek bizim sorumluluğumuzdur. Bizler O'nun tarafından yaratıldık, O'na aitiz, O'na bağımlıyız ve dolayısıyla da O'na hesap vermek durumundayız. Bu, Pavlus'un Hristiyanlığın Müjdesi'ni açıklarken vurgulamak istediği ilk noktadır.

İkinci olarak Pavlus, okuyucularına onların asıl sorununun Tanrı'ya karşı isyan etmeleri olduğunu anlatıyor. Onlar (ve diğer herkes) olması gerektiği gibi Tanrı'yı yüceltmemiş ve

O'na şükretmemişlerdi. Akılsız yürekleri karardı ve "ölümsüz Tanrı'nın yüceliği yerine ölümlü insana, kuşlara, dört ayaklılara, sürüngenlere benzeyen putları yeğlediler" (23. ayet). Bu tam bir isyan resmidir, değil mi? İnsanların Tanrı'yı bırakıp da tahtadan veya demirden yapılmış bir kuşun, kurbağanın veya hatta *kendilerinin* O'ndan daha yüce, daha tatmin edici ve daha değerli olduğuna karar vermeleri, Tanrı'ya karşı küfür ve isyanın zirvesidir. Günahın kökü ve özünde bu yatar ve sonuçları da korkunçtur.

Pavlus sonraki üç bölüm boyunca, işte bu noktaya dikkat çekiyor ve insanlığı Tanrı'ya karşı günahkâr olmakla suçluyor. 1. bölümde Yahudi olmayanlara odaklanırken, 2. bölümde aynı sertlikle Yahudilere odaklanıyor. Sanki kendilerini doğru gören Yahudilerin, onun Yahudi olmayanlara yaptığı bu suçlamayı alkışlayacağını biliyormuşçasına Pavlus, 2:1'de bu kez parmağını alkışlayan Yahudilere çeviriyor: "Bu nedenle sen, ey başkasını yargılayan insan, kim olursan ol, özrün yoktur!" Pavlus aynı Yahudi olmayanlar gibi, Yahudilerin de Tanrı'nın yasasını çiğnediklerini ve O'nun yargısı altında olduklarını söylüyor.

3. bölümün ortalarına geldiğimizde Pavlus, dünyada yaşayan her bireyi Tanrı'ya isyan etmekle suçluyor. "Şimdi ne diyelim? Biz Yahudiler öteki uluslardan üstün müyüz? Elbette değiliz. İster Yahudi ister Grek olsun, daha önce herkesi günahın denetiminde olmakla suçladık" (9. ayet). Pavlus'un bu söylediklerini bağladığı sonuç çarpıcıdır: Yargıç Tanrı'nın önünde durduğumuzda, her ağız kapanacak. Kimseden hiçbir mazeret çıkmayacak. Bütün dünya -Yahudiler, diğer uluslardan olanlar, insanların her biri- yaptıklarının hesabını Tanrı'ya tamamen verecek (19. ayet).

Aslına bakılırsa, bu iki haber hiç de iyi haber değil. Hatta kötü haberdir. Beni yaratan kutsal ve yargı sahibi Tanrı'ya karşı isyan etmiş olduğum düşüncesi güzel bir düşünce değil. Ama bu önem arz eden bir düşünce çünkü güzel haberin yolunu hazırlıyor. Biraz düşündüğünüzde, kulağa mantıklı geldiğini göreceksiniz. Birisinin çıkıp size, "Seni kurtarmak için geliyorum!" demesi, eğer kurtarılmaya ihtiyacınız olduğuna inanmıyorsanız, aslında hiç de iyi bir haber değildir.

Üçüncü *olarak Pavlus, Tanrı'nın insanlığın günahına karşı sunduğu* çözümün*, İsa Mesih'in kurban olarak ölmesi ve dirilmesi olduğunu söylüyor.* Pavlus, adil ve doğru olan Tanrımız karşısında günahkârlar olarak bulunduğumuz kötü vaziyeti anlattıktan sonra, iyi haberi, İsa Mesih'in *Müjdesi*'ni anlatmaya başlıyor.

Pavlus, tüm bu günahlarımıza rağmen "ama şimdi" diyor ve ekliyor: "Şimdi Yasa'dan bağımsız olarak Tanrı'nın insanı nasıl aklayacağı açıklandı. Yasa ve peygamberler buna tanıklık ediyor" (21. ayet). Başka bir deyişle, insanlar için Tanrı'nın önünde haksız sayılmak yerine doğru sayılmanın, suçlu ilan edilmek yerine masum ilan edilmenin ve hüküm giymek yerine aklanmanın mümkün olan bir yolu var. Bu yolun daha iyi davranmakla veya daha doğru yaşamakla hiçbir alakası yok. Bu yol, "Yasa'dan bağımsız olarak" mümkün olmaktadır.

Peki bu yol nedir? Pavlus, Romalılar 3:24'te bunu kısa ve öz şekilde açıklıyor. Tanrı'ya olan isyanımıza ve içinde bulunduğumuz umutsuz duruma rağmen, "insanlar İsa Mesih'te olan kurtuluşla, Tanrı'nın lütfuyla, karşılıksız olarak aklanırlar." İsa Mesih'in kurban olarak ölümü ve dirilişi aracılığıyla, O'nun kanı ve yaşamı sayesinde günahkârlar, artık günahın karşılığı olan lanetten kurtulabilirler.

Pavlus'un cevapladığı başka bir soru daha var. Bu benim için nasıl iyi bir haber oluyor? Nasıl oluyor da *ben*, bu kurtuluş vaadinin bir parçası oluyorum?

Son olarak Pavlus, okuyuculara nasıl bu kurtuluşun bir parçası olabileceklerini söylüyor. Üçüncü bölümün sonundan dördüncü bölümün ortalarına kadar bu konuda yazıyor. Tanrı'nın insanlara sağladığı kurtuluş, "İsa Mesih'e olan imanlarıyla" gelir ve "bunu, iman eden herkes için yapar" (3:22). Peki nasıl oluyor da bu herhangi başkası için değil de *benim* için iyi haber oluyor? *Ben* nasıl bunun içerisine dahil oluyorum? İsa Mesih'e iman ederek. Bir başkasının değil, sadece O'nun beni kurtarabileceğine güvenerek. Pavlus şöyle açıklıyor: "İman eden kişi imanı sayesinde aklanmış sayılır" (4:5).

Dört Can Alıcı Soru

Pavlus'un Romalılar 1-4 arasında söylediklerine baktıktan sonra, onun yapmış olduğu Müjde duyurusunun şu dört önemli soruya cevap verdiğini görebiliriz:

1. Bizi kim yarattı ve biz kime hesap vereceğiz?
2. Sorunumuz nedir? Başka bir deyişle, başımız belada mı ve neden?
3. Tanrı'nın bu soruna sunduğu çözümü nedir? O bizi kurtarmak için ne yaptı?
4. *Ben* –şu an, bizzat, burada olan ben– ne oluyor da bu kurtuluşun bir parçası oluyorum? Bunu bir başkası için değil de benim için iyi haber yapan şey ne?

Bu dört ana noktayı şöyle özetleyebiliriz: Tanrı, insan, Mesih ve cevap.

Elbette sonrasında Pavlus, Tanrı'nın Mesih'te kurtuluşa kavuşanlara sunduğu vaatler evrenini bir bir açıklamaya devam ediyor. Bu vaatlerin birçoğu, aynı zamanda Hristiyanların iyi haberinin, yani İsa Mesih'in Müjdesi'nin birer parçası olarak görülebilir. Ama anlamamız gereken nokta şu ki, başından itibaren bütün bu büyük vaatler bu noktaya, Hristiyanlığın iyi haberinin kalbine ve kaynağına bağlıdır ve buradan doğmaktadır. Bu vaatler yalnızca çarmıha gerilmiş ve dirilmiş olan İsa Mesih'e iman edenler içindir. Pavlus işte bu nedenle Müjde'nin kalbinden bahsederken, bu dört önemli gerçekle başlıyor.

Yeni Antlaşma'nın Geri Kalanında Müjde

Bunu yapan sadece Pavlus değildir. Yeni Antlaşma boyunca elçilerin yazılarını okudukça, onların tekrar tekrar bu dört soruya cevap verdiklerini görüyorum. Başka ne diyor olurlarsa olsunlar, Müjde anlatımlarının özünde hep bu dört konu yatmakta. Bağlam değişir, bakış açıları değişir, kelimeler değişir, yaklaşım değişir ama erken dönemdeki Hristiyanlar, bir şekilde *her zaman* bu dört konuya değinirlerdi: Bizi yaratan Tanrı'ya karşı sorumluyuz. Tanrı'ya karşı günah işledik ve yargılanacağız. *Ama* Tanrı, İsa Mesih'te bizleri kurtarmak üzere harekete geçti ve bizler günahtan tövbe edip İsa'ya iman ederek bu kurtuluşa kavuşuruz.

Tanrı. İnsan. Mesih. Cevap.

Şimdi gelin, İsa'nın Müjdesi'nin özetlendiği başka ayetlere göz atmak için Yeni Antlaşma'ya bakalım. Bir örnek olarak, Pavlus'un 1. Korintliler 15. bölümdeki meşhur sözlerini ele alalım:

> Şimdi, kardeşler, size bildirdiğim, sizin de kabul edip bağlı kaldığınız Müjde'yi anımsatmak istiyorum. Size müjdelediğim söze sımsıkı sarılırsanız, onun aracılığıyla kurtulursunuz. Yoksa boşuna iman etmiş olursunuz. Aldığım bilgiyi size öncelikle ilettim: Kutsal Yazılar

> uyarınca Mesih günahlarımıza karşılık öldü, gömüldü ve Kutsal Yazılar uyarınca üçüncü gün ölümden dirildi. Kefas'a, sonra Onikiler'e göründü. (1-5. ayetler)

Yapının ana hatlarını görebiliyor musunuz? Pavlus belki de Romalılar 1-4'teki kadar detaylı bir anlatım yapmıyor ama yine de ana hatlar açıkça görülebilir durumda. İnsanlığın başı beladaydı, "günahlarımıza" batmış ve "kurtulma" ihtiyacı içindeydik (dolaylı ama bariz bir şekilde Tanrı'nın yargısından kurtulma). Ama kurtuluş şu şekilde geliyor: "Mesih günahlarımıza karşılık öldü... gömüldü... dirildi." Tüm bunlar da "size müjdelediğim söze sımsıkı sarılırsanız", boş bir imanla değil, gerçekten iman ederek mümkün olmakta. İşte burada da dört nokta mevcut: Tanrı, insan, Mesih, cevap.

Müjde'nin bu ana hatları ve yapısı, Elçilerin İşleri kitabında geçen vaazlarda dahi belirgindir. Petrus, Pentikost'taki insanlara İsa'nın ölümü ve dirilişine dair yaptığı duyuru karşısında ne yapmaları gerektiğini söylerken şöyle der: "Tövbe edin, her biriniz İsa Mesih'in adıyla vaftiz olsun. Böylece günahlarınız bağışlanacak ve Kutsal Ruh armağanını alacaksınız" (Elç. 2:38). Burada da Petrus'un sözleri çok detaylı değil ve Tanrı'nın yargısı yine dolaylı olarak ima edilmekte ama yine de bahsettiğimiz yapı orada. Problem: Tanrı'nın günahların için seni yargılamasına değil, seni affetmesine ihtiyacın var. Çözüm: Petrus'un da vaazında uzunca bahsettiği gibi İsa Mesih'in ölümü ve dirilişi. Verilmesi gereken cevap: vaftizle somutlaştırılan tövbe ve iman.

Petrus'un başka bir vaazında, Elçilerin İşleri 3:18-20'de, bu dört hayati nokta yine açıkça ortada:

> Ama bütün peygamberlerin ağzından Mesihi'nin acı çekeceğini önceden bildiren Tanrı, sözünü bu şekilde ye-

> rine getirmiştir. Öyleyse, günahlarınızın silinmesi için tövbe edin ve Tanrı'ya dönün. Öyle ki, Rab size yenilenme fırsatları versin ve sizin için önceden belirlenen Mesih'i, yani İsa'yı göndersin.

Problem: Günahlarınızın Tanrı tarafından yargılanmasına değil, silinmesine ihtiyacınız var. Çözüm: İsa acı çekiyor. Verilecek cevap: tövbe etmek ve imanla Tanrı'ya dönmek.

Ya da Petrus'un Kornelius'a ve ailesine verdiği vaazı ele alalım:

> Biz İsa'nın, Yahudilerin ülkesinde ve Yeruşalim'de yaptıklarının hepsine tanık olduk. O'nu çarmıha gerip öldürdüler. Ama Tanrı O'nu üçüncü gün diriltti ve açıkça görünmesini sağladı. İsa halkın tümüne değil de, Tanrı'nın önceden seçtiği tanıklara -ölümden dirilmesinden sonra kendisiyle birlikte yiyip içen bizlere- göründü. Tanrı tarafından ölülerle dirilerin Yargıcı olarak atanan kişinin kendisi olduğunu halka duyurmamızı, buna tanıklık etmemizi buyurdu. Peygamberlerin hepsi O'nunla ilgili tanıklıkta bulunuyorlar. Şöyle ki, O'na inanan herkesin günahları O'nun adıyla bağışlanır. (Elç. 10:39-43)

Günahların bağışlanması. Çarmıha gerilmiş ve dirilmiş Olan'ın adı aracılığıyla. İman eden herkes için.

Pavlus da, Elçilerin İşleri 13. bölümde aynı Müjde'yi vaaz ediyor:

> Dolayısıyla kardeşler, şunu bilin ki, günahların bu Kişi aracılığıyla bağışlanacağı size duyurulmuş bulunuyor. Şöyle ki, iman eden herkes, Musa'nın Yasası'yla aklana-

madığınız her suçtan O'nun aracılığıyla aklanır. (38-39. ayetler)

Burada bir kez daha, Tanrı, insan, Mesih ve cevap yapısını görüyoruz. Tanrı tarafından "günahlarınızın bağışlanması"-na muhtaçsınız. Bu, "O'nun (İsa) aracılığıyla" ve "iman eden herkes" için gerçekleşir.

Temel Gerçekleri Farklı Yollarla Açıklamak

Görüldüğü gibi, Tanrı-insan-Mesih-cevap yapısı, çakma bir formül değildir. Elçiler Müjde'yi duyururken bir liste gibi bunları tek tek yapıp listenin yanına birer tik atmıyorlardı. İçinde bulundukları bağlama, ne kadar zamanları olduğuna ve karşılarındaki dinleyici kitlesine göre elçiler, bu dört gerçeği farklı sürelerle anlatmaktadırlar. Bazen bu gerçeklerin bir veya birkaçı, özellikle de Tanrı'nın bizim hesap vereceğimiz merci olduğu ve bağışlanma armağanının O'ndan geldiği gerçeği, daha örtük bir biçimde anlatılmıştı. Ama yine de bu gerçek, elçilerin çokça vaaz etmekte olduğu Yahudiler'in akıllarında derin bir şekilde bulunuyor olmalıydı.

Buna karşılık Pavlus, Ares Tepesi'nde putperest filozoflarla konuşurken, daha konuşmanın ilk başında doğrudan Tanrı'dan bahsediyor. Pavlus'un Elçilerin İşleri 17. bölümde bulunan bu vaazı, putperest kültürlerde Müjde paylaşımı için sık sık bir referans, bir model olarak gösterilmektedir. Bu vaazda oldukça ilginç ve sıra dışı bir şey vardır. Dikkat edin ve göreceksiniz ki, Pavlus aslında Mesih'in iyi haberini değil, kötü haberini paylaşmaktadır!

"Sizin bilmeden tapındığınız bu Tanrı'yı ben size tanıtayım" diyerek Pavlus söze başlar. Sonrasında 24. ve 28. ayetler arasında bir Tanrı'nın olduğundan, bu Tanrı'nın dünyayı yarattığından ve bizi kendisine tapınmaya davet ettiğini anlatır. Bu temeli attıktan sonra 29. ayette Pavlus, günah kavramını ve günahın, Tanrı'ya tapınma yerine yaratılmış olan şeylere tapınmada yatan köklerini açıklar ve Tanrı'nın, insanları "atadığı Kişi aracılığıyla" ölümden dirilttiği Kişi aracılığıyla yargılayacağını duyurur (31. Ayet).

Sonra Pavlus duraklar. Yakından bakın. Burada bağışlanmanın, çarmıhın ve kurtuluş vaadinin hiçbir bahsi yok. Sadece ve sadece Tanrı'nın talepleri ve gelmekte olan yargısının kanıtı olarak diriliş gerçeği duyuruluyor! Hatta Pavlus, İsa ismini bir kez bile kullanmıyor!

Öyleyse ne oluyor burada? Pavlus burada Müjde'yi vaaz etmiyor mu? Açıkçası hayır, o anda etmiyor. Halka verdiği bu vaazda Müjde, iyi haber yok. Pavlus'un verdiği bütün haber kötü. Ama 32-34. ayetlere bakın. Burada Kutsal Kitap, insanların tekrar tekrar Pavlus'u dinlemek istediklerini ve hatta bazılarının sonradan iman ettiklerini aktarıyor. Görünüşe göre Pavlus, sonrasında belki halka açık bir şekilde belki de insanlara birebir olarak *iyi* haberi de (günahkârların gelecek olan yargıdan kurtulabilecekleri haberini) vaaz etmişti.

Diğer elçiler gibi Pavlus da Müjde'nin temel gerçeklerini çeşitli şekillerde aktarabiliyordu. Burada anlamamız gereken nokta, *kesinlikle* ortada Müjde'yle ilgili bazı çok önemli temel gerçeklerin olduğu ve bunların bize vaazlar ve mektuplar aracılığıyla doğru bir şekilde aktarılmasıyla birlikte, bunlar hakkında yeterli bilgiye sahip olduğumuzdur. Romalılar'da, 1. Korintliler'de, Elçilerin İşleri'nde ve bütün Yeni Antlaşma boyunca, erken dönemdeki Hristiyanlar, Müjde duyurularını bazı temel gerçeklere göre şekillendirmişlerdir.

Önce kötü haber: Tanrı Yargıcınız'dır ve siz O'na karşı günah işlediniz. Sonraysa Müjde: ama İsa, günahkârlar tövbe ettiklerinde ve O'na iman ettiklerinde bağışlanabilsinler diye öldü.

İKİNCİ BÖLÜM

Yaratan ve Doğru Olan Tanrı

Sizi tanrıyla tanıştırayım. (Lütfen küçük *t* harfine dikkat edin.)

Kapıdan içeri girmeden önce sesinizi alçaltmanız gerek. O (küçük t ile olan tanrı) şu an uyuyor olabilir. Kendisi yaşlı, biliyorsunuz, bu "yeni model" modern dünyadan pek anlamıyor ve hoşlanmıyor. O'nun altın çağı (konuşkanlığı tuttuğunda bahsettiği o dönemler) eskide kaldı, çoğumuzun doğumundan bile daha eskide. Altın dönemi, insanların onun ne düşündüğünü umursadığı ve hayatlarında onu önemli gördüğü zamanlardı.

Tabii artık her şey değişti ama tanrı -zavallı dostumuz- bu değişime ayak uyduramadı. Hayat onun yanından geçip gitti. Şimdi tanrı, zamanının çoğunu arka bahçede geçiriyor. Ben de onu görmek için ara sıra oraya gidiyorum, beraber vakit geçiriyoruz, güller arasında yürüyüp sakince konuşuyoruz...

Yine de görünen o ki, birçok insan onu hâlâ seviyor ya da en azından kamuda aldığı oy hâlâ oldukça yüksek. Onu ara sıra ziyarete gidip bir şeyler isteyen kaç tane insan olduğunu görseniz, şaşırırdınız. Ama tabii ki bu onun için bir sorun değil. Yardım için burada.

Şükürler olsun ki, o yaşlandıkça, bazı eski kitaplarında okuduğunuz o insanları yerin dibine sokan, şehirlere ateş yağdıran huysuz adam da gitmiş gibi görünüyor. Artık o iyi huylu, pek ilgi istemeyen ve kolaylıkla konuşulabilen bir arkadaşım. Onunla konuşulduğunda neredeyse hiç cevap vermiyor ve verdiği zamanlar da "garip" bir işaretle, bana yapmak istediğim şeyin her şekilde kendisi için uygun olduğunu söylüyor. Gerçekten sahip olabileceğiniz en iyi arkadaş, öyle değil mi?

Onunla ilgili en iyi şey ne biliyor musunuz? Beni yargılamıyor. Asla, hiçbir şey için. Aslında derinde bir yerlerde benim daha iyi olmamı, daha sevgi dolu, daha az bencil olmamı istediğini biliyorum ama o gerçekçi biri. Benim insan olduğumu ve kimsenin mükemmel olmadığını biliyor. Ben de bu gerçeğin onu rahatsız etmediğinden çok eminim. Zaten onun işi affetmek. Sonuçta, o sevgidir, değil mi? Ayrıca ben gerçek sevgiyi, "asla yargılamayan ve yalnızca affeden" türden bir sevgi olarak görmeyi tercih ediyorum. *Benim* bildiğim tanrı bu ve başka şekilde olmasını istemezdim.

Peki, şimdi bir saniye bekleyelim... Tamam, şimdi içeri girebiliriz. Endişelenmeyin, çok uzun kalmamıza gerek yok. Gerçekten. O, kendisine ayırdığınız her bir saniye için size minnettar.

Tanrı Hakkında Varsayımlar

Tamam, tamam. Bu laflar işin şakası. Ama bu yazdıklarımın, çoğu insanın, hatta bazı Hristiyanların bile Tanrı hakkındaki düşüncelerinden ne kadar farklı olduğunu merak ediyorum. Çoğunlukla o kibar, saf, kısmen şaşkın ve yardıma muhtaç bir yaşlı dede. Ama sizden hiçbir talebi yok, ona vakit ayırmak istemediğinizde, ayırmayabilirsiniz. İnsanların hata yapan varlıklar olduğunu çok çok çok iyi anlıyor ve hatta hepimizden daha anlayışlı.

Eskiden insanlar kendilerine Hristiyan demeseler bile, Kutsal Kitap'ın Tanrı ve O'nun karakteriyle ilgili öğretilerine en azından temel olarak hâkim olurlardı. Bu temel bilgiler, insanların yetiştikleri çevrenin bir parçasıydı ve tıpkı elçilerin Yahudiler hakkında yaptıkları varsayımlar gibi, sizler de o dönemlerde Müjde'yi insanlarla paylaştığınızda, onlarla ilgili bazı varsayımlarda bulunabilirdiniz.

Bu durum en azından dünyanın çoğu yerinde artık geçerli değil. Ben Teksas'ın doğusunda, küçük bir şehirde büyüdüm. Orada birine Müjde'yi anlatmak, binlerce defa duydukları bir mesajı sanki bir kez daha tekrar etmek gibiydi. New Haven Connecticut'ta üniversite eğitimime başladığım zaman, sanki bambaşka bir dünya var gibiydi.

Etrafım aniden Tanrı hakkında pek bir şey duymadan büyümüş, hatta daha konuşmanın başında benimle tartışmaya başlayan insanlarla sarılmıştı. İlk defa tanıştığım ve Tanrı'dan bahsettiğim bir kişinin verdiği tepkiyi hatırlıyorum. "Ah, sen de mi? Bunlara inanıyor musun? Şaka yapıyor olmalısın" demiş ve gülmüştü.

Sonraki birkaç yıl boyunca da bu olay onlarca kez daha başıma geldi ve sonunda sadece, "Evet, inanıyorum" demeyi öğrendim. Aynı zamanda kısa sürede, insanların Tanrı hakkındaki düşünceleriyle ilgili varsayımlarda bulunamayacağımı da öğrendim. Bugün eğer İsa Mesih'in Müjdesi'ni duyurmak istiyorsam, en baştan, Tanrı'nın kendisinden başlamalıydım.

Elbette Tanrı'yı, bize kendisini açıkladığı kadarıyla öğrenmeye çalışmak bir ömre bedel olabilir (olmalıdır da!) ve Müjde'yi sadık bir şekilde paylaşmak için Tanrı hakkında bildiğiniz her bir şeyi söylemeniz de gerekmez. Ama yine de karşımızdaki kişinin Hristiyanlığın iyi haberini iyi bir şekilde anlayabilmesi için, Tanrı hakkında paylaşılması *gereken* bazı temel gerçekler var. Buna kötü haberin arkasındaki iyi haber olarak da bakabilirsiniz.

En baştan açıkça ortaya koymamız gereken iki nokta var: Tanrı Yaratan'dır ve O kutsal ve doğrudur.

Yaratan Tanrı

Hristiyan mesajının başlangıcı (hatta Kutsal Kitap'ın başlangıcı) şöyledir: "Başlangıçta Tanrı, göğü ve yeri yarattı." Her şey bu noktadan sonra başlar ve yaydan yanlış bir eğimle çıkmış ok gibi, bu noktayı kavrayamazsanız, devamında gelen her şey yanlış olacaktır.

Yaratılış kitabı Tanrı'nın dünyayı, yani dağları, vadileri, hayvanları, balıkları, kuşları, sürüngenleri ve her şeyi yaratmasıyla başlar. Tanrı, evrenin geri kalanını, yani yıldızları, Ay'ı, gezegen ve galaksileri de yaratmıştır. Her şey O'nun sözü aracılığıyla var oldu ve hepsi, *yoktan* var oldu. Bu, Tanrı'nın var olan bir şeyi alıp şekil vermesi, mesela bir kil alıp onu dünyada gördüğümüz başka bir şey yapması gibi bir durum değil. Hayır, Yaratılış kitabının bize anlattığı üzere Tanrı, "Işık olsun!" dedi ve ışık oldu. Kutsal Kitap'taki birçok bölüm bize yaratılışın, Tanrı'nın yücelik ve gücüne nasıl tanıklık ettiğini anlatır. Mezmurlar 19:1 şöyle der: "Gökler Tanrı'nın görkemini açıklamakta." Romalılar 1:20'deyse Pavlus şöyle der: "Tanrı'nın görünmeyen nitelikleri –sonsuz gücü ve Tanrılığı– dünya yaratılalı beri O'nun yaptıklarıyla anlaşılmakta, açıkça görülmektedir." Eğer daha önce bir kanyonun kenarında bulunmuş ve kuşların altınızda uçuştuklarına ve bulutların da üstünüzde uzanıp gittiklerine şahit olduysanız ya da boş bir tarlada ufka baktığınızda, gürültülü bir fırtınanın yaklaştığını görüp hafif bir korkuya kapıldıysanız, bunun ne demek olduğunu biliyorsunuzdur. Bu, haşmetli yaratılışın insan yüreğine seslenerek şöyle demesidir: "Var olan bir tek sen değilsin!" Yaratılış hikâyesi, sonrasındaki her gün hem içeriği hem de önemi açısından genişleyip büyümüştür. Önce ışığın yaratılması, sonra deniz, kara, Ay ve Güneş, kuşlar, balıklar ve hayvanlar ve daha sonra da Tanrı'nın yarattıklarının zirvesindeki erkek ve kadın.

> Tanrı, "Kendi suretimizde, kendimize benzer insan yaratalım" dedi, "Denizdeki balıklara, gökteki kuşlara, evcil hayvanlara, sürüngenlere, yeryüzünün tümüne egemen olsun."
> Tanrı insanı kendi suretinde yarattı, onu Tanrı'nın suretinde yarattı. Onları erkek ve dişi olarak yarattı. (Yar. 1:26-27)

Yaratılış hikâyesiyle ilgili bunlar dışında ne düşünüyorsanız düşünün, yaratılış iddiası, yani Tanrı'nın dünyayı yarattığı ve özellikle de *sizi* yarattığı iddiası devasa bir önem taşımaktadır. Dünyanın mutlak tek gerçek olmadığı, bunun yerine *Bir Başkasının* aklından, ellerinden ve sözlerinden yeşermiş olduğu fikri, özellikle de günümüzde devrim niteliğinde bir fikirdir. Günümüzde hakim olan nihilizm akımının tam aksine bu fikir, insanlar da dahil olmak üzere evrendeki her şeyin bir amacı olduğu anlamına gelir. Bizler, bir rastlantılar zincirinin, bir takım genetik mutasyonların, kromozomlarda oluşan bir kazanın ürünü değiliz. Bizler yaratıldık! Her birimiz Tanrı'nın bir fikrinin, bir tasarısının ve bir eyleminin ürünüyüz ve bu gerçek, insan hayatına hem anlam hem de sorumluluk katmaktadır (Yar. 1:26-28).

Hiçbirimiz bağımsız değiliz ve bu gerçeği anlamak Müjde'yi anlamanın anahtarıdır. Durmadan söz ettiğimiz haklarımıza ve özgürlüğümüze rağmen, aslında düşünmek istediğimiz kadar özgür değiliz. Bizler yaratıldık. Bizler bir başkası tarafından yapıldık. Dolayısıyla da bir sahibimiz var.

Tanrı bizi yarattığından dolayı, bize nasıl yaşamamız gerektiğini söyleme hakkına sahiptir. Bu nedenle de Aden Bahçesi'nde Tanrı, Adem ve Havva'ya hangi ağacın meyvesini yiyip hangisinden yiyemeyeceklerini söylemişti (Yar. 2:16-17). Tanrı, küçük kardeşi üzerinde güç gösterisi yapan ve ne olacağını görmek için kafasına göre kurallar koyan bir çocuk gibi davranmıyordu. Hayır, Kutsal Kitap bize Tanrı'nın iyi olduğunu söylüyor. O, insanlar için neyin iyi olduğu biliyordu ve onların iyiliğini ve mutluluğunu artıracak yasalar verdi.

Eğer Hristiyanlığın iyi haberini anlamak istiyorsanız, bunları en azından biraz olsun anlamanız şart. Müjde, Tanrı'nın günahın getirdiği kötü habere karşı cevabıdır ve günah da insanın kendi üzerindeki Yaratan Tanrı'nın sahip olduğu hak ve yetkileri reddetmesidir. Dolayısıyla insan varlığının temel gerçeği, her şeyin bağlı olduğu kaynak şudur: Tanrı bizi yaratmıştır ve bu yüzden de sahibimizdir.

Kutsal ve Doğru Olan Tanrı

Tanrı'nın karakterini birkaç kelimeyle özetlemeniz gerekse, ne söylerdiniz? İyi ve sevgi dolu olduğunu mu? Merhametli ve affedici olduğunu mu? Bunların hepsi doğrudur. Musa, Tanrı'dan kendi adını ve yüceliğini ona göstermesini istediğinde Tanrı şöyle demişti:

> Ben RAB'bim. RAB, acıyan, lütfeden, tez öfkelenmeyen, sevgisi engin ve sadık Tanrı. Binlercesine sevgi gösterir, suçlarını, isyanlarını, günahlarını bağışlarım. (Çık. 34:6-7)

Ne kadar da harika! Tanrı bize adını ve yüceliğini gösterdiğinde -ki bunu bize yüreğini açmak, göstermek için yapmıştır- bize ne söylüyor? Tanrı bize merhametli ve sevgi dolu olduğunu, yavaş öfkelendiğini ve sevgisinin bol olduğunu söylüyor.

Bu bölümde gördüğümüz ancak pek anlatılmayan başka bir şey daha var ve bu pek de içimizi rahatlatacak bir şey değil. Merhametli ve sevgi dolu olduğunu söyledikten hemen sonra Tanrı, Musa'ya ne diyor biliyor musunuz?

> Hiçbir suçu cezasız bırakmam. (7. ayet)

Buraya tekrar bir göz atalım çünkü bu, günümüzde insanların Tanrı hakkında bildiklerini *düşündükleri şeylerin* yüzde 90'ını yerle bir ediyor. Sevgi dolu ve merhametli Tanrı, *hiçbir suçu cezasız bırakmıyor.*

Tanrı hakkında insanlar arasında yaygın bir diğer düşünceyse, işini iyi yapmayan bir temizlikçi gibi olduğudur. Dünya'nın bütün pisliği, günah, kötülük ve bozulmuşluk gibi şeylerle gerçekten ilgilenmek yerine, bunları halının altına süpürüp kimsenin fark etmeyeceğini ummasıdır. Hatta çoğu insan bundan farklı bir Tanrı düşünemez bile. "Tanrı günahı yargılar mı hiç?" diye sorarlar. "Kötülüğümden ötürü beni cezalandıracak mı? Tabii ki böyle yapmaz. Bunları yapması sevgi dolu bir şey olmazdı" derler.

Daha sonra Mısırdan Çıkış 34:6-7'de bulunan, akıl ermez bir tezatlık gibi görünen bu durumun, yani günahı, isyanı ve bozulmuşluğu bağışlayan ama aynı zamanda suçları cezasız bırakmayan Tanrı'nın, bu durumu İsa Mesih'in çarmıhta ölümüyle nasıl çözüme kavuşturduğunu göreceğiz. Ama bu konuya daha gelmeden önce şunu anlamamız gerekiyor: Her ne kadar tersini iddia edenler olsa da, Tanrı'nın sevgisi, O'nun adaletini ve doğruluğunu ortadan kaldırmaz. Kutsal Kitap defalarca Tanrı'nın, mükemmel bir adalet ve dil uzatılamayacak bir doğruluk Tanrısı olduğunu açıklamaktadır. Mezmur 11:7 şöyle der:

> *Çünkü RAB doğrudur, doğruları sever.*

Mezmur 33:5 şöyle aktarır: "Doğruluğu, adaleti sever." Başka iki mezmur şöyle söyler: "Tahtın adalet ve doğruluk üzerine kurulu!" (Mez. 89:14; 97:2). Bu ayetlerde ne dendiğini görüyor musunuz? Tanrı'nın evrendeki hakimiyeti, yaratılış üzerindeki egemen Rab oluşu, O'nun sonsuz doğruluğu ve adaleti üzerine kurulmuştur.

Tanrı'nın işini iyi yapmayan bir temizlikçi gibi olduğu fikri, işte bu yüzden günün sonunda hiç tatmin edici değildir. Bu, Tanrı'yı adaletsiz ve doğruluktan uzak gibi gösterir. Bu, O'nu günahı saklayan, hatta günahla yüzleşip onu yok edeceği yerde belki de kendisi günahtan saklanan, korkak bir Tanrı yerine koyar.

Kim böyle bir Tanrı ister ki? Tanrı'nın *kendilerini* asla yargılamayacağını düşünen bu insanları, kaçınılmaz bir kötülükle karşı karşıya geldiklerinde gözlemlemek her zaman ilginç olmuştur. Gerçekten korkunç bir kötülükle karşı karşıya geldiklerinde, *o zaman* bir adalet Tanrısı isterler ve O'nu *hemen* isterler. İnsanlar Tanrı'nın kendi günahlarını görmezden gelip teröristlerin günahlarına gelince böyle yapmamasını isterler. "Beni affet" derler, "ama onu affetme!" Görüyorsunuz, hiç kimse gerçekten kötülükle mücadele etmeyi reddeden bir Tanrı istemez. Onlar sadece onların kötülüklerine karışmayan bir Tanrı isterler.

Oysa Kutsal Kitap bizlere, Tanrı mükemmel bir şekilde adil ve doğru olduğu için, her kötülüğün kati bir şekilde icabına bakacağını söylemektedir. Habakkuk 1:13 şöyle diyor:

> Kötüye bakamayacak kadar saftır gözlerin.
> Haksızlığı hoş göremezsin.

Tanrı'nın haksızlığı hoş görmesi, kendi tahtının temelini inkâr etmesi anlamına gelirdi. Dahası, bu O'nun doğrudan

Kendisini inkâr etmesi anlamına gelirdi ve Tanrı böyle bir şey yapmaz.

Çoğu kişi Tanrı'nın sevgi dolu ve merhametli olduğunu düşünürken hiç rahatsızlık yaşamaz. Biz Hristiyanlar, dünyayı Tanrı'nın insanları çok sevdiği konusunda ikna etmekte çok başarılı olduk. Ancak İsa Mesih'in Müjdesi'nin ne kadar muhteşem ve bizlere yaşam veren bir şey olduğunu anlamak istiyorsak, bu sevgi dolu ve şefkatli Tanrı'nın aynı zamanda kutsal ve doğru olduğunu ve asla günahı görmezden gelmeyeceğini ya da ona tahammül etmeyeceğini de anlamamız gerekiyor.

Buna bizim günahlarımız da dahil. Ki bu da bizi kötü habere yönlendiriyor.

ÜÇÜNCÜ BÖLÜM

Günahkâr İnsan

Daha geçen gün hatalı park cezası ödedim. Kolay oldu. Cezamı okudum, kağıdın arkasını çevirdim, "suçumu kabul ediyorum" bölümünü işaretledim, Metropolitan Trafik Ceza Müdürlüğü'ne 35 dolar tutarında bir çek yazdım, zarfa koydum ve postaladım.

Ben, hüküm giymiş bir suçluyum.

Ama her nasılsa, suçlu kısmını işaretlediğim halde kendimi çok da suçlu hissetmiyorum. Yasaları çiğnedim diye gece hiç uykum kaçmayacak. Kimseden af dileme gereği hissetmiyorum ve üstelik düşündükçe, gelen ceza geçen seferkinden 10 dolar daha fazla olduğu için kızgınım bile.

Yasayı çiğnediğim için neden kötü hissetmiyorum? Sanırım temelde bunun sebebi, park kurallarına karşı gelmenin benim için pek de önem arz eden veya kötü bir şey olmaması. Evet, bir dahaki sefer park-metreye fazladan para atacağım ama bu olaydan dolayı vicdanım pek sızlamadı.

Yıllar içinde fark ettiğim bir şey de şu ki, çoğu insan, günahı ve özellikle de kendi günahlarını bir park suçundan daha büyük bir şey olarak görmüyor. Bizler şöyle düşünüyoruz: "Tabii ki, teknik olarak günah Tanrı'nın bize verdiği yasayı ihlal etmektir falan filan ama O kesinlikle dışarıda benden daha büyük suçlular olduğunu biliyordur. Ayrıca zaten kimse zarar görmedi ve ben de cezayı ödemeye razıyım. Şimdi böyle küçük bir şeyden dolayı derin düşüncelere kapılıp ruhsal bir arayışa girmeye ne gerek var? Değil mi?"

Herhalde gerek yoktur, en azından eğer günaha böylesine sakin bir tutumla yaklaşıyorsanız. Ancak Kutsal Kitap'a göre günah, laf olsun diye koyulmuş bir tür ruhsal trafik kuralından çok daha fazlasıdır. Günah, bir ilişkinin bozulması ve hatta Tanrı'nın reddedilmesidir. O'nun hâkimiyetinin, yetkisinin, yaşam verdiklerine buyruklar verebilme hakkının reddedilmesidir. Kısacası günah, yaratılanın Yaratıcı'ya karşı isyan etmesidir.

Nerede Yanlış Yapıldı?

Tanrı'nın insanları yaratırken amaçladığı şey, insanların mükemmel bir sevinçle O'nun adil egemenliği altında O'na tapınarak, itaat ederek ve böylece O'nunla bozulmamış bir paydaşlık içerisinde kalarak yaşamasıydı. Bir önceki bölümde gördüğümüz gibi, kadını ve erkeği kendi suretinde, yani kendine benzer olarak yarattı.

Onlar Tanrı gibi olacak, O'nunla bir ilişki içerisinde bulunacak ve O'nun yüceliğini dünyaya duyuracaklardı. Dahası, Tanrı'nın insanlar için belirlediği bir iş vardı. Onlar, Tanrı'nın buyruğu altındaki vekiller olarak, O'nun dünyasına egemen olacaklardı. Tanrı Kutsal Kitap'ta bunu şöyle duyuruyor: "Onları kutsayarak, 'Verimli olun, çoğalın' dedi, 'Yeryüzünü doldurun ve denetiminize alın; denizdeki balıklara, gökteki kuşlara, yeryüzünde yaşayan bütün canlılara egemen olun" (Yar. 1:28).

Ancak kadın ve erkeğin yaratılış üzerinde sahip oldukları yetki, mutlak bir yetki değildi. Yetkileri onlara ait değildi; Tanrı tarafından verilmişti. Dolayısıyla Adem ve Havva dünya üzerinde bu yetkilerini kullanırken bile, aslında Tanrı'ya tabi olduklarını ve O'nun hükümdarlığının altında olduklarını hatırlamak zorundaydılar. Onları Tanrı yaratmıştı ve bu nedenle de onlara hükmetmek O'nun hakkıydı.

Tanrı'nın bahçeye koyduğu iyiyle kötüyü bilme ağacı, bunu çok çarpıcı bir şekilde hatırlatmaktaydı (Yar. 3:17). Adem ve Havva ağaca bakıp meyvesini gördüklerinde, yetkinin sınırlı olduğunu, yaratılan varlıklar olduklarını ve canlarının Tanrı'ya bağlı olduğunu hatırlayacaklardı. Onlar sadece kâhyaydılar. Kral olansa Tanrı'ydı. Bu yüzden Adem ve Havva meyveden yediklerinde, laf olsun diye konulmuş bir kuralı çiğnemiyorlardı ("ağacın meyvesini yemeyin"), çok daha üzücü ve ciddi bir şey yapmaktaydılar. Tanrı'nın onlar üzerindeki yetkisini reddediyor ve O'ndan bağımsızlıklarını ilan ediyorlardı. Adem ve Havva, Yılan'ın onlara vaat ettiği gibi, "Tanrı gibi" olmak istediler. Böylece bunu bir fırsat olarak görüp vekilliği bırakmaya ve tacı kendileri giymeye kalkıştılar. Bütün evrende Adem'in ayaklarına serilmemiş tek bir şey vardı: Tanrı'nın kendisi. Yine de Adem, bu anlaşmanın kendisi için yeterince iyi olmadığına karar verdi ve isyan etti.

Ama en kötüsü de Adem ve Havva, Tanrı'nın buyruğuna itaat etmeyerek, Tanrı'nın onların Kralı olduğunu bilinçli bir şekilde reddetmişlerdi. O'na itaatsizliğin doğuracağı sonuçları biliyorlardı. Tanrı onlara, "ona dokunmayın; yoksa ölürsünüz" diye açıkça bildirmişti. Bu da, kesinlikle Tanrı'nın huzurundan atılacakları ve O'nun dostları ve esenlik içinde yaşayan kulları olmak yerine, O'nun düşmanı durumuna gelecekleri anlamına geliyordu (Yar. 2:17). Ama onlar bunu umursamadılar. Adem ve Havva, Tanrı'nın beğenisi yerine kendi zevk ve yücelikleri peşinde koşmayı tercih ettiler.

Kutsal Kitap, Tanrı'nın buyruklarına itaat etmemenin (gerek sözlerimizle gerek düşüncelerimizle gerekse de eylemlerimizle olsun), "günah" olduğunu söyler. Bu kelime, tam anlamıyla "hedefi kaçırmak" anlamına gelmektedir ama Kutsal

Kitap'ta kullanılan şekliyle günah, bundan çok daha derin bir anlam taşır. Adem ve Havva aslında azimle Tanrı'nın buyruklarını yerine getirmeye çalışıyor ama sadece hedefi birazcık kaçırmış falan değillerdi. Hayır, hedefin tam tersine hareket ediyorlardı! Onların istekleri, Tanrı'nın onlar için istediğine tersti ve böylece günah işlediler. Bilerek ve isteyerek Tanrı'nın buyruğuna uymadılar, Tanrı'yla olan ilişkilerini bozdular ve O'nun hakkı olan Krallığını reddettiler.

Adem ve Havva'nın günahının sonuçları kendileri için, soyları için ve yaratılışın geri kalanı için bir felaket olacaktı. Tanrı'nın huzur dolu bahçesi Aden'den kovuldular. Artık toprak, meyvelerini ve hazinelerini onlara severek ve isteyerek vermeyecekti. Bunları elde etmek için çalışmak, zorluk ve acı içerisinde çalışmak zorundaydılar. Daha da kötüsü, Tanrı onlara ölüm cezasını vermiş ve bu cezayı yürürlüğe koymuştu. Elbette fiziksel olarak hemen ölmediler. Bedenleri yaşamaya, kalpleri atmaya, el ve kolları hareket etmeye devam etti ama ruhsal hayatları, en önemli olan o hayat, o anda sona ermişti. Tanrı'yla olan dostlukları bozulmuştu ve bunun sonucunda da yürekleri kuruyup büzüştü, akılları bencil düşüncelerle doldu, gözleri Tanrı'nın güzelliğini görmez oldu ve ruhları kuru ve çorak bir hale geldi. Tanrı'nın başlangıçta her şey iyiyken onlara verdiği o ruhsal hayattan artık tamamıyla yoksunlardı.

Sadece Onlar Değil, Bizler de Öyle

Kutsal Kitap bize, günaha düşenin sadece Adem ve Havva olmadığını söyler. Hepimiz öyleyiz. Pavlus Romalılar 3:23'te şöyle diyor: "Çünkü herkes günah işledi ve Tanrı'nın yüceliğinden yoksun kaldı." Yine Pavlus, bundan birkaç paragraf öncesinde de şunu söyler: "Yazılmış olduğu gibi: 'Doğru kimse yok, tek kişi bile yok'" (3:10).

İsa Mesih'in Müjdesi, bizler için takılıp düşebileceğimiz sürçme taşlarıyla doludur ve bu, en büyüklerinden biri. İnsanlar olarak aslında iyi olduğumuzu ve kendi kendimize yetebileceğimizi bizlere söyleyen inatçı yüreklerimiz için, günahkâr ve isyankâr insanlar olduğumuz düşüncesi bir rezilliktir ve kabul edilemez.

Günahımızın doğasını ve derinliğini anlamamız işte bu yüzden hayati önem taşır. Eğer günahı olduğundan başka bir şey gibi anlarsak veya onu olduğundan daha küçük görürsek, İsa Mesih'in Müjdesi'ni de çok kötü bir şekilde yanlış anlayabiliriz. Size Hristiyanların günahı nasıl yanlış anladıklarıyla ilgili birkaç örnek vereyim.

GÜNAHI GÜNAHIN ETKİLERİYLE KARIŞTIRMAK

Son zamanlarda Müjde'yi paylaşmak adına, İsa'nın insanları boşluktan, amaçsızlıktan ve suçluluk hissinden kurtarmak için geldiğini söylemek moda oldu. Tabii ki bu saydıklarım da birer problem ve birçok insan bunları çok derinden hissetmekte ama Kutsal Kitap, asıl kurtulmamız gereken şeyin, yani insanlığın temel probleminin, amaçsızlık, yabancılaşmak veya hatta suçluluk hissi olmadığını söylüyor. Bunlar çok daha derin ve temel bir sorunun yalnızca belirtileridir ve bu sorun da şudur: günahımız. Başımızdaki belanın kendi yarattığımız bir bela olduğunun farkına varmamız gerekir. *Biz,* Tanrı'nın sözüne uymadık. Biz, O'nun buyruklarını görmezden geldik. *Biz,* O'na karşı günah işledik.

Kurtuluşu sanki yalnızca amaçsızlık veya anlamsızlıktan bir kurtuluşmuş gibi anlatıp bunların günaha uzanan köklerine inmemek, içeceğimiz hapın (ilacın) yutumunu daha kolay bir hale getirebilir ama yanlış hapı yutmuş oluruz. Aynı zamanda bu düşünce, kişinin kendini bir kurban olarak görmeye devam etmesine ve bir suçlu olduğu, haksız olduğu ve yargıyı hak ettiği gerçeğiyle hiçbir zaman yüzleşmemesine sebep olur.

GÜNAHI, KOPMUŞ BİR İLİŞKİDEN İBARET OLARAK GÖRMEK

İlişkiler, Kutsal Kitap'ın önemli konularından biridir. İnsanlar Tanrı'yla paydaşlık içinde yaşamak *üzere* yaratılmıştır ama unutmamamız gereken bir şey de şu ki, Tanrı'yla insan arasındaki bu ilişki özel türden bir ilişkidir. Bu, iki eşit taraf arasında olan ve yasaların, kuralların ve cezaların olmadığı bir ilişki değil, Kral ve kulları arasındaki bir ilişkidir.

Çoğu Hristiyan, günahtan sanki insan ve Tanrı arasındaki ufak bir ilişki problemiymiş gibi bahsetmekte ve bizim ihtiyacımız olan şeyin basitçe bir özür dileyip Tanrı'nın affedişini kabul etmek olduğunu söylemektedirler. Ancak iki aşığın didişmesini andıran bu resim, Tanrı'yla sahip olmamız gereken ilişkiyi çarpıtmaktadır. Bu tür bir yaklaşım, ortada karşı gelinen hiçbir yasanın, karşısında suçlu olunan hiçbir adalet sisteminin ya da gelecek olan hiçbir kutsal gazap ve yargının olmadığını ima eder. Dolayısıyla da nihayetinde bu yargıyı üstlenecek bir başka kişiye de gerek kalmamaktadır.

Kutsal Kitap gerçekten de günahın Tanrı'yla olan ilişkimizin kopması anlamına geldiğini söyler ama bu kopma, O'nun yüce krallığının reddedilmesine dayanmaktadır. Bu *sadece* bir başka kişiyle zina değildir (ki o da dahildir); aynı zamanda bir isyan, bir ihanettir. Eğer günahı iyi ve doğru olan Kral'a karşı, sevdiği kulları tarafından yapılan hain bir isyan olarak görmeyip yalnızca bir ilişkinin kopmasından ibaretmiş gibi görürsek, bunun neden Tanrı'nın Oğlu'nun ölümüne mal olduğunu da asla anlayamayız.

GÜNAHI OLUMSUZ DÜŞÜNMEYLE KARIŞTIRMAK

Günahla ilgili başka bir yanlış anlaşılma da, bunun olumsuz düşünmeden kaynaklı bir mesele olduğunu söylemektir. Aslında bunu daha önce, kitabın giriş kısmındaki bazı alıntı cümlelerde de gördük. Eski şarap tulumlarınızı atın! Daha büyük düşünün! Eğer sizi geride tutan o olumsuz bakış açılarından kurtulursanız, Tanrı size harika lütfunu göstermek istiyor!

Şimdi gerçekten de bu mesaj, kendi kendilerine her şeyi çözebileceklerine inanan, kendine güvenen insanlar için son derece çekici bir mesaj. Bahsettiğimiz mesajı vaaz eden insanların dünyadaki en büyük kiliselerden bazılarını kurabilmelerinin sebebi de muhtemelen bu. Formül oldukça basit. Gerçekten öyle. İnsanlara söylemeniz gereken tek şey, günahlarının olumsuz düşünmekten ibaret olduğu ve sağlık, zenginlik ve mutlulukla aralarındaki tek engelin de bu tür düşünceler olduğu. Sonrasında (Tanrı'nın yardımıyla elbette), onlara kendileri hakkında pozitif düşünmelerini ve bunu başardıkları zaman da günahlarından kurtulacaklarını ve üstelik zengin olacaklarını söyleyin. İşte bu! Alın size anında bir megakilise!

Bazen vaat edilen paradır, bazen sağlık, bazense bambaşka bir şey. Ama nasıl değiştirip farklı kalıplara sokarsanız sokun, İsa Mesih'in bizi negatif düşüncelerden kurtarmak için öldüğünü söylemek, Kutsal Kitap'a küfretmekten başka bir şey değildir. Hatta Kutsal Kitap, bizim sorunumuzun büyük bir kısmının kendimizi küçük değil, fazla *büyük* görmemiz olduğunu öğretir. Durup bir düşünün. Yılan, Adem ve Havva'yı nasıl ayarttı? Onlara kendileri hakkında çok olumsuz düşündüklerini söyledi.

Adem ve Havva'ya daha pozitif düşünmeleri gerektiğini, sahip oldukları potansiyeli tam anlamıyla kullanmalarını,

Tanrı gibi olmalarını söyledi! Tek bir cümleyle, onlara büyük düşünmelerini söyledi.

Peki sonları nasıl oldu?

GÜNAHI GÜNAHLARLA KARIŞTIRMAK

Günahlar işlediğinizi ve bu günahlardan ötürü suçlu olduğunuzu anlamanızla *günahtan* ötürü mahkûm olduğunuzu bilmeniz arasında çok büyük bir fark vardır. Çoğu insan günahlar (çoğul) işlediğini itiraf etmekte zorluk çekmez. En azından bu günahları birbirinden bağımsız ufak hatalar olarak gördükleri ve bunlar olmasa süper bir hayatları olacağını düşündükleri sürece bu konuda herhangi bir zorluk yaşamazlar. Kırk yılda bir park cezaları olmuştur ama bunun dışında sabıkaları temizdir.

Günahlar bizi çok şaşırtmaz. Onların var olduğunu biliriz, onları kendimizde ve başkalarında her gün görürüz ve aslında onlara oldukça alışmışızdır. Bizler için şaşırtıcı olan şey, Tanrı'nın *günah*ın yüreklerimizin ne kadar derinine işlediğini bizlere gösterdiği andır. Şaşırtıcı olan şey, orada olduğundan haberimiz olmayan pisliğin ve ahlaki bozulmuşluğun nasıl derinden yer ettiğini ve bunu kendi başımıza asla temizleyemeyeceğimizi anlamamızdır. Kutsal Kitap, günahımızın ne kadar derin ve karanlık olduğunu bu şekilde anlatır. Günah bizzat *içimizde*dir, *üstümüzde* değil.

Washington'da bulunan Ulusal Doğa Tarihi Müzesi'nin ikinci katında, dünyanın en büyük ve kusursuz taşı olduğu söylenen kuvars taşı bulunur. Bu taş bir basketbol topundan biraz daha büyüktür ve üzerinde tek bir çizik veya kusur bile yoktur. Tam anlamıyla mükemmeldir. İnsanlar sıklıkla insan doğasının da bu taş gibi olduğunu düşünürler. Evet, arada bir çamura bulanıp kirleniyor olabiliriz ama kirin altında, doğamız o saf haliyle kalmaktadır ve mükemmelliğini geri getirmek için tek yapmamız gereken şeyse onu silip temizlemektir. Oysa Kutsal Kitap'ın insan doğası tasviri bu kadar güzel ve hoş değildir. Kutsal Yazılar'a göre, insanların doğası hiç mi hiç saf değildir ve çamur ve kir de sadece bu doğanın dış kısmında değildir. Tersine, çamur, kir ve bozulmuşluk doğamızın merkezine kadar işlemiş durumdadır.

Pavlus'un dediği gibi bizler "doğal olarak gazap çocukları"yız (Ef. 2:3). Adem'in suçuna ve bozulmuşluğuna bizler de ortağız (Rom. 5). Bunu İsa da öğretti: "Çünkü kötü düşünceler, cinayet, zina, fuhuş, hırsızlık, yalan yere tanıklık ve iftira hep yürekten kaynaklanır" (Mat. 15:19). Ağzınızdan çıkan günah dolu sözler ve sergilediğiniz günahlı davranışlar birbirinden bağımsız olaylar değildir. Bunların hepsi, yüreğinizdeki kötülükten kaynaklanır.

İnsanlar olarak var oluşumuzun her bir parçası günahla ve günahın etkisiyle bozulmuştur. Anlayışımız, bakış açımız, kişiliğimiz, hislerimiz ve duygularımız, hatta irademiz bile günaha köledir. Pavlus Romalılar 8:7'de şöyle diyor: "Çünkü benliğe dayanan düşünce Tanrı'ya düşmandır; Tanrı'nın Yasası'na boyun eğmez, eğemez de..." Ne kadar çarpıcı ve korkunç bir söz! Günahın üzerimizdeki –aklımız, anlayışımız ve irademizdeki– hükümdarlığı o kadar derinlere işlemiştir ki, Tanrı'nın yüceliğini ve iyiliğini gördüğümüzde, *kaçınılmaz olarak* nefretle yüzümüzü döneriz.

İsa'nın bizleri günahtan kurtarmak için geldiğini söylemek, eğer birbirinden bağımsız birtakım hatalardan bizi kurtarmak için geldiğini kastediyorsak, yeterli değildir. Ancak ve ancak kendi doğamızın günahlı olduğunu ve gerçekten Pavlus'un da söylediği gibi (Ef. 2:1, 5), "suçlardan ve günahlardan ötürü ölü" olduğumuzu anladığımız takdirde, kurtuluş için bir yol olmasının ne kadar iyi bir haber olduğunu anlayabiliriz.

Tanrı'nın Günah Karşısındaki Etkin Yargısı

Kutsal Kitap'taki en korkutucu bölümlerden biri Romalılar 3:19'dur. Pavlus açıklamasının sonunda bütün insanlığı -önce Yahudi olmayanları, sonra Yahudileri- günahın denetimi altında olmak ve Tanrı'nın gözünde tamamen suçlu olmakla itham etmektedir. Pavlus, hepsinin bir özeti olarak şöyle der: "Kutsal Yasa'da söylenenlerin her ağız kapansın, bütün dünya Tanrı'ya hesap versin diye Yasa'nın yönetimi altındakilere söylendiğini biliyoruz."

Bunun ne anlama geldiğini ve geleceğini hayal edebiliyor musunuz? Tanrı'nın önünde durmanız ve hiçbir açıklamanızın, mazeretinizin olmaması nasıl olurdu hayal edebiliyor musunuz? Peki ya Tanrı'ya karşı hesap vermek ne anlama geliyor? Kutsal Kitap, bir önceki bölümde de gördüğümüz gibi, çok net bir şekilde Tanrı'nın doğru ve kutsal olduğunu ve bu nedenle de günahı görmezden gelmeyeceğini söylüyor. Öyleyse, Tanrı'nın günah konusuyla ilgilenip bunu çözmesi, günahı yargılaması ve cezalandırması ne anlama gelir?

Romalılar 6:23 şöyle diyor: "Çünkü günahın ücreti ölüm(-dür)." Başka bir deyişle, günahlarımız için yapmamız gereken ödeme ölümdür. Sadece fiziksel bir ölüm de değil. Bu ruhsal bir ölümdür; berbat varlıklar olan bizlerin, kusursuz ve kutsal olan Tanrı'dan zorunlu olarak ayrılmasıdır. Yeşaya Peygamber bunu şöyle tarif ediyor:

> Ama suçlarınız sizi Tanrınız'dan ayırdı.
> Günahlarınızdan ötürü O'nun yüzünü göremez,
> Sesinizi işittiremez oldunuz. (Yeş. 59:2)

İnsanlar bazen bu sözlerden bahsederken, sanki sadece Tanrı'nın pasif, sessiz kaldığı bir durumdan bahsediyormuş gibi konuşurlar. Ama çok daha fazlası söz konusu. Bu, Tanrı'nın günaha karşı etkin yargısıdır ve Kutsal Kitap bu yargının korkunç olacağını söylüyor. Vahiy kitabının dünyanın sonunda gerçekleşecek olan Tanrı'nın doğru ve iyi yargısını nasıl betimlediğine bakın. Yedi melek, "Tanrı'nın öfkesiyle dolu yedi tası" yeryüzüne boşaltacak ve yeryüzündeki bütün halklar "O'nun için dövünecek" (Vah. 16:1; 1:7). Dağlara ve kayalara seslenecek ve "Üzerimize düşün!" diyecekler, "Tahtta oturanın yüzünden ve Kuzu'nun gazabından saklayın bizi! Çünkü onların gazabının büyük günü geldi. Buna kim dayanabilir?" (Vah. 6:16-17). Onlar İsa'yı, kralların Kralı'nı, rablerin Rabbi'ni görecek ve korkudan suspus olacaklar çünkü Vahiy 19:15'te olacaklar şöyle yazılıyor: "Her Şeye Gücü Yeten Tanrı'nın ateşli gazabının şarabını üreten masarayı kendisi çiğneyecek."

Kutsal Kitap bize tövbe etmeyen, iman etmeyen günahkârların sonunun, adına "cehennem" denen, sonsuza dek uyanık halde bir işkence olacağını öğretiyor. Vahiy burayı bir "ateş ve kükürt gölü" olarak tasvir ediyor ve İsa bunun "sönmez ateş" olduğunu söylüyor (Vah. 20:10; Mar. 9:43).

Kutsal Kitap'ın cehennem hakkında neler söylediği ve bizi buna karşı nasıl uyardığı düşünüldüğünde, bazı Hristiyanların neden bu yeri daha katlanılabilir bir yermiş gibi anlatmaya çalıştıklarını anlayamıyorum. Vahiy kitabı, Her Şeye Gücü Yeten Tanrı'nın ateşli gazabının şarabını üreten masarayı İsa'nın kendisinin çiğneyeceğinden bahsederken, İsa bizleri, "sönmez ateş... oradakileri kemiren kurt ölmez, yakan ateş sönmez" diye uyarırken (Mar. 9:43, 48), bir Hristiyan *neden* bütün bunları *daha az* korkunç hale getirmek istesin ve yumuşatsın ki? Bizler *neden* günahkârları, cehennemin belki de o kadar da kötü bir yer olmayacağı düşüncesiyle rahatlatmaya çalışalım ki?

Bunları Biz Uydurmadık

Tanrı'nın günahkârlara karşı gazabını tasvir etmek için kullanılan Kutsal Kitap öğeleri gerçekten korkunçtur. Dünyanın Kutsal Kitap'ın bu tasvirlerini okuduktan sonra, bunlara inanan biz Hristiyanları "hasta" olarak nitelendirmesi, aslında pek de şaşırtıcı değildir.

Ama burada asıl nokta gözden kaçıyor. Bu fikirleri bizler uyduruyor değiliz. Biz Hristiyanların cehennemle ilgili okuduklarımızın, inandıklarımızın veya konuştuklarımızın sebebi bundan bir şekilde zevk almamız değildir. Tanrı korusun. Hayır, bunun hakkında konuşuyoruz çünkü Kutsal Kitap'a inanıyoruz. Kutsal Kitap cehennem gerçektir dediğinde, bizler buna inanıyoruz. Kutsal Kitap sevdiğimiz insanların sonsuzluğu orada geçirmesi ihtimalinden bahsettiğinde, buna göz yaşları içinde iman ediyoruz.

Kutsal Kitap'ın bizlere yönelik çarpıcı hükmü budur. Doğru olanımız yok, tek bir tane bile. Bundan dolayı da bir gün her ağız kapanacak ve bütün dünya Tanrı'ya hesap verecek.

Ama...

DÖRDÜNCÜ BÖLÜM

Kurtarıcı İsa Mesih

Ama. İnsanların söyleyebileceği en güçlü sözcük bu olmalı. Kısa bir kelime ama kendisinden önce gelen her şeyi silip atabilecek güce sahip. Az önce duyduğumuz kötü haberin ardından gelerek, insanların başlarını dik tutup umutlanmalarını sağlayabilecek güce sahip. Bu sözcüğün bir şeyleri değiştirme kabiliyeti, diğer her sözcüğünkinden fazladır.

- Uçak düştü. *Ama* kimse yaralanmadı.
- Sizde kanser var. *Ama* kolayca tedavi edilebilir.
- Oğlunuz trafik kazası geçirdi. *Ama* durumu iyi.

Maalesef, "ama" bazen gelmez. Bazen cümle durur ve bize gelen sadece kötü haberdir. Ancak böyle anlar, *ama* sözcüğünün geldiği zamanları bizim için daha anlamlı getirir. Üstelik bu zamanlar harika zamanlardır.

Tanrı'ya şükür ki, insanın günahı ve Tanrı'nın yargısına ilişkin kötü haber hikâyenin sonu değil. Eğer Kutsal Kitap, Pavlus'un bütün dünyanın Tanrı'nın önünde durup O'na hesap vereceği ve her ağzın kapanacağı duyurusuyla bitseydi, hiçbirimiz için umut olmazdı. Sadece çaresizlik olurdu. *Ama* (yine ama geliyor!) Tanrı'ya hamt olsun ki, burada bitmiyor!

Siz lanetlenmeye mahkûm bir günahkârsınız. *Ama* Tanrı, sizin gibi günahkârları kurtarmak için harekete geçti!

Umut Veren Bir Söz

Markos, İsa'nın hayatıyla ilgili yazılarına şu sözlerle başlar: "Tanrı'nın Oğlu İsa Mesih'le ilgili Müjde'nin başlangıcı." Daha başlangıçtan itibaren Markos ve erken dönemdeki diğer Hristiyanlar, İsa Mesih'in gelişinin, yıkık ve günah içerisinde ölü olan dünya için iyi bir haber olduğunun farkındaydılar. Günahın kasvetli yıkımı karşısında İsa'nın gelişi, O'nun artık her şeyin değiştiğine dair yaptığı harika duyurusu niteliğindeydi!

Aden Bahçesi'nde bile Tanrı, Adem ve Havva'ya çaresizliklerinin ortasında umut verici sözler, bazı iyi haberler vermişti. Çok detaylı ve büyük bir duyuru değildi. Aslında sadece bir ipucuydu. Yılan'a karşı Tanrı'nın söylediği cümlenin sonunda saklı olan bir ipucu.

> Onun soyu senin başını ezecek,
> Sen onun topuğuna saldıracaksın. (Yar. 3:15)

Ama bu da önemli bir şeydi. Tanrı, Adem ve Havva'nın isyankâr olmalarına rağmen, onların hikâyenin burada bitmeyeceğini bilmelerini istemişti. Kısmen de olsa Müjde, felaketin ortasındaki iyi haber buradaydı.

Kutsal Kitap'ın geri kalanı bize küçük bir fidan gibi ortaya çıkan Müjde'nin nasıl büyüyüp geliştiğini öğretiyor. Binlerce yıl boyunca Tanrı, yasa ve peygamberler aracılığıyla, İsa Mesih'in yaşamı, ölümü ve dirilişi sayesinde Yılan'a yapılacak öldürücü darbenin temellerini attı. Her şey bittiğinde, Adem'in bütün insanlığı ortak ettiği suç mağlup düşecek, Tanrı'nın yaratılış üzerindeki ölüm hükmü sonlanacak ve cehenneme de diz çöktürülecekti.

Kutsal Kitap, aslında Tanrı'nın günaha yaptığı karşı saldırının hikâyesidir. Bu büyük hikâye, Tanrı'nın nasıl her şeyi düzelttiğinin ve bir gün sonsuza dek ve tam olarak düzelteceğinin hikâyesidir.

Tamamen Tanrı, Tamamen İnsan

Bütün İncil yazarları İsa'nın hayatı hakkındaki yazılarına, O'nun sıradan bir kişi olmadığını anlatarak başlarlar. Matta ve Luka, genç bir bakire olan Meryem'e bir meleğin geldiğini ve ona hamile kalacağını haber verdiğini anlatır. Bu habere inanamayan Meryem sorar: "Bu nasıl olur? Ben erkeğe varmadım ki?" Melek şöyle yanıtlar "Kutsal Ruh senin üzerine gelecek, Yüceler Yücesi'nin gücü sana gölge salacak. Bunun için doğacak olana kutsal, Tanrı Oğlu denecek" (Luk. 1:34-35). Yuhanna kendi anlatısına daha da şaşırtıcı sözlerle başlar: "Başlangıçta (Yar. 1:1'e güçlü bir atıfta bulunarak) Söz vardı. Söz Tanrı'yla birlikteydi ve Söz Tanrı'ydı. Başlangıçta O, Tanrı'yla birlikteydi... Söz, insan olup aramızda yaşadı" (Yuh. 1:1, 14).

Bütün bunlar, yani İsa'nın bakireden doğması, "Tanrı'nın Oğlu" unvanı, Yuhanna'nın "Söz Tanrı'ydı" ve "Söz, insan olup aramızda yaşadı" ifadeleri, bize İsa'nın kim olduğunu öğretme amacını taşıyordu.

Basit bir ifadeyle, Kutsal Kitap bize İsa'nın hem tamamen insan hem de tamamen Tanrı olduğunu öğretiyor. O'nunla ilgili bu noktayı anlamak çok önemli çünkü sizi ancak tamamen Tanrı ve tamamen insan olan Tanrı'nın Oğlu kurtarabilir. İsa sadece sıradan bir kişi olsaydı -bozulmuşluğumuz ve günahlarımız da dahil, her açıdan bizler gibi olsaydı- bizi ancak ölü bir adamın diğer insanları kurtarabileceği kadar kurtarabilirdi. Ama O, günahsız ve Baba Tanrı'yla aynı mükemmellikte olduğu için, ölümü yenip bizleri günahımızdan kurtarabilme yetisine sahiptir. Aynı şekilde, İsa'nın tamamen bizlerden biri olduğunu, yani tamamen insan olduğunu anlamak da önemlidir. Nitekim bizi Baba'nın önünde ancak bu şekilde temsil edebilirdi. İbraniler 4:15'te şöyle açıklanıyor: "Çünkü başkâhinimiz zayıflıklarımızda bize yakınlık duyamayan biri değildir; tersine, her alanda bizim gibi denenmiş, ama günah işlememiştir."

Mesih Kral, Burada!

İsa hizmetine başladığında, harika bir mesaj duyurdu: "Zaman doldu. Tanrı'nın Egemenliği yaklaştı. Tövbe edin, Müjde'ye inanın!"

Bu adamın Tanrı'nın egemenliğinin gelmiş olmasıyla ilgili söyledikleri hızla ülkeye yayılmıştı ve heyecanlı kalabalıklar, duyurduğu bu "iyi haberi" duyabilmek için İsa'nın etrafını sarıyorlardı. Bu mesajla ilgili bu kadar heyecan verici olan neydi?

Tanrı, yüzyıllar boyunca Yasası ve peygamberleri aracılığıyla, dünyanın kötülüğüne son verip insanları günahtan sonsuza dek kurtaracağı bir zamanın haberini verdi. Karşı çıkanları ortadan kaldırarak bütün dünyada kendi hükümdarlığını, "egemenliğini" kuracaktı. Dahası, Tanrı bu krallığı Kral Davut'un soyundan gelen Mesih Kral'ın adıyla kuracağını vaat etti. 2. Samuel 7:11'de Tanrı, Davut'a oğullarından birinin sonsuza kadar hüküm süreceğini vaat etti. Yeşaya peygamber bu kral oğul için şunları söylüyor:

> Onun adı Harika Öğütçü, Güçlü Tanrı,
> Ebedi Baba, Esenlik Önderi olacak.
>
> Davut'un tahtı ve ülkesi üzerinde egemenlik sürecek.
> Egemenliğinin ve esenliğinin büyümesi son bulmayacak.
> Egemenliğini adaletle, doğrulukla kuracak
> Ve sonsuza dek sürdürecek. (Yeş. 9:6-7)

Gelecek olan göklerin egemenliğini duyurmayı başladığında, İsa'yı karşılayan heyecanı hayal edebilirsiniz. Bu, uzun süredir beklenen Davut'un soyundan gelen Mesih'in artık burada olduğu anlamına geliyordu!

İncil yazarları, bu Davut'un soyundan gelen Kral'ın İsa'nın ta kendisi olduğunu ısrarla vurgulamaktadırlar. Luka, Meryem'e İsa'nın doğumunu müjdeleyen meleğin sözlerini bize şöyle anlatıyor:

> O büyük olacak, kendisine 'Yüceler Yücesi'nin Oğlu' denecek. Rab Tanrı O'na, atası Davut'un tahtını verecek. O da sonsuza dek Yakup'un soyu üzerinde egemenlik sürecek, egemenliğinin sonu gelmeyecektir. (Luk. 1:32-33)

Matta, kitabına İsa'nın soyunu sıralayarak ve O'nu önce doğrudan Kral Davut'a ve sonrasında geriye gidip İbrahim'e bağlayarak başlıyor. Matta, harika bir şekilde soyağacını düzenleyip onu on dört kuşaktan oluşan üç gruba bölmüştür. On dört rakamı, her iyi Yahudi'nin de bileceği üzere, İbrani alfabesindeki şu üç harfin rakam değerlerinin toplamıdır: D-V-D, yani "Davud". Matta da burada İsa'nın hikâyesini anlatmaya başlarken, diğer tüm Hristiyanlar gibi, "Kral! Kral! Kral!" diye haykırmaktadır.

Beklenmeyen İyi Haber, Tabii Eğer Siz de Dahil Olabilirseniz

Yeni Antlaşma, sonrasında bize İsa Mesih'in nasıl Tanrı'nın dünyadaki krallığını kurduğunu ve günahın getirdiği laneti geri çevirmeye başladığını anlatır. Ama bu krallık, Yahudilerin bekledikleri krallıktan çok farklıydı. Onların beklediği Mesih dünyasal, siyasi bir krallık kuracaktı ve bu krallık da üzerlerinde baskı kuran zamanın hakim gücü Roma İmparatorluğu'ndan onları kurtaracaktı. Oysa bu İsa, geldiğinde dünyasal bir krallık peşinde koşmak yerine vaazlar verdi, öğretti, hastalara şifa verdi, günahları bağışladı, ölüleri diriltti ve Romalı valiye şöyle dedi: "Benim krallığım bu dünyadan değildir" (Yuh. 18:36).

Elbette bu, O'nun krallığının *asla* bu dünyada olmayacağı anlamına gelmez. Bundan hemen önce İsa, kâhine şöyle demişti: "Ve sizler, İnsanoğlu'nun Kudretli Olan'ın sağında oturduğunu ve göğün bulutlarıyla geldiğini göreceksiniz" (Mar. 14:62). Vahiy 21'deyse O'nun, gücüyle tamamen yenilenmiş ve günahın zincirlerinden kurtulmuş olan yeni gök ve yeni yeryüzünde hüküm sürdüğünü görüyoruz. Şüphesiz, bunların hepsi iyi haberdir. Tabii eğer siz de dahil olabilirseniz. Ama yine dönüp dolaşıp günahımızla baş başa kalıyoruz değil mi? Tanrı'ya karşı itaatsizlik ve isyan suçumuzu ortadan kaldıracak bir şey olmadıkça, Tanrı'dan ayrı kalacağız ve bizi bekleyen yeni gök ve yeni yeryüzünün sonsuz sevinci değil, cehennemde sonsuza dek cezalandırılmak olacak.

İşte tam burada, Hristiyanlığın iyi haberi daha da iyi hale geliyor. Görüyor musunuz? Kral İsa sadece Tanrı'nın krallığını kurmaya gelmedi. Aynı zamanda günahkârların yerine ve onların günahları için ölerek, cezalarını üstlenip kurtuluşlarını güvence altına alarak, onları Tanrı'nın gözünde doğru kılarak ve krallık mirasına ortak olabilmelerini sağlayarak, onları da bu krallığa dahil etmek için geldi (Kol. 1:12).

Acı Çeken Bir Kral mı?

"İşte, dünyanın günahını ortadan kaldıran Tanrı Kuzusu!" Deve derisi giyip çekirge yiyen peygamber Vaftizci Yahya'nın, İsa'yı gördüğünde söylediği buydu (Yuh. 1:29). Ne demek istemişti? Tanrı Kuzusu mu? Dünyanın günahını ortadan kaldırmak mı?

Birinci yüzyılda yaşayan Yahudiler, Yahya'nın "günahı ortadan kaldıran Tanrı Kuzusu" derken kastettiği şeyi biliyorlardı. Bu, Yahudilerin bundan on beş yüzyıl önce Mısır'daki kölelikten kurtuluşlarını anmak için kutladıkları Fısıh Bayramı'na yapılan bir göndermeydi.

Mısırlılara bir yargı olarak Tanrı, üzerlerine on tane farklı bela göndermişti ve her seferinde, Firavun yüreğini daha da sertleştirerek insanları kölelikten azat etmeyi reddetti. Bu belaların sonuncusu en korkunç olanıydı. Tanrı, İsraillilere belirli bir gecede bir ölüm meleğinin Mısır diyarı üzerinden geçeceğini söyledi. Bu melek, Mısır'ın ilk doğan çocuklarının ve hayvanlarının hepsini öldürecekti. Bu korkunç yargıya, eğer Tanrı'nın buyruklarına dikkatli bir şekilde uymazlarsa, İsrailliler de dahil olacaktı. Tanrı onlara kusursuz bir kurban kuzusu alıp öldürmelerini ve kanını evlerinin kapı sövelerine sürmelerini söyledi. Tanrı'nın vaadi uyarınca, melek kapı sövesine sürülen kanı görünce o evin üzerinden geçecek ve onları ölüm yargısından esirgeyecekti.

Fısıh yemeği (özellikle Fısıh kuzusu), günahın getirdiği ölüm cezasının bir başkası tarafından ödenebileceği fikrinin güçlü bir sembolü haline geldi. Bu "başkası yerine ceza çekme" fikri, aslında bütün Eski Antlaşma kurbanlarında görülür. Her yıl Kefaret Günü'nde (günahların bağışlanma günü), başkâhin tapınağın en iç kısmına, En Kutsal Yer olarak da bilinen yere gider ve kusursuz bir hayvanı halkının günahları için kurban ederdi. Bu her yıl yapılırdı ve her yıl halkın günahı yeniden kuzunun kanıyla aklanırdı.

Biraz zaman aldı ama İsa'yı izleyenler en sonunda O'nun görevinin sadece Tanrı'nın krallığını getirmek değil, aynı zamanda bunu yaparken halkının yerine kurban olmak olduğunu anladılar. İsa'nın sadece Kral olmadığını anladılar. O, acı çeken Kraldı.

İsa başından beri görevinin halkının günahları için ölmek olduğunu biliyordu. Doğumunu haber eden melek daha en başından şöyle demişti: "Çünkü halkını günahlarından O kurtaracak" (Mat. 1:21). Luka da bize şöyle anlatıyor: "Göğe alınacağı gün yaklaşınca İsa, kararlı adımlarla Yeruşalim'e doğru yola çıktı" (Luk. 9:51). İncil anlatılarında görüyoruz ki, İsa öleceğinin haberini pek çok kez öncesinden vermiştir. Üstelik Petrus bir keresinde O'nun öleceği haberine saf bir şekilde karşı çıkınca, İsa O'nu şöyle azarlamıştı: "Çekil önümden, Şeytan! Bana engel oluyorsun" (Mat. 16:23). İsa rotasını çok kesin bir şekilde Yeruşalim'e, yani ölümüne doğru çevirmişti.

İsa da ölümünün önemini ve amacını anlamıştı. Markos 10:45'te İsa şöyle diyor: "Çünkü İnsanoğlu bile hizmet edilmeye değil, hizmet etmeye ve canını birçokları için fidye olarak vermeye geldi." Ayrıca Matta 26:28'de öğrencileriyle son akşam yemeğini yerken, bir şarap kasesi alıp şöyle demiştir: "Hepiniz bundan için. Çünkü bu benim kanımdır, günahların bağışlanması için birçokları uğruna akıtılan antlaşma kanıdır (Mat. 26:27-28). Başka bir yerde, "Ben koyunlarımın uğruna canımı veririm" demiştir, "Canımı kimse benden alamaz; ben onu kendiliğimden veririm" (Yuh. 10:15, 18). İsa neden öleceğini biliyordu. Halkına olan sevgisinden ötürü, bilerek ve isteyerek canını verdi. Halkı bağışlansın diye, Tanrı Kuzusu kurban edildi.

Kutsal Ruh'un yardımıyla erken dönemdeki Hristiyanlar da, İsa'nın çarmıhta gerçekleştirdiği şeyi anlamışlardı. Pavlus şöyle anlatıyor: "İbrahim'e sağlanan kutsama Mesih İsa aracılığıyla uluslara sağlansın ve bizler vaat edilen Ruh'u imanla alalım diye, Mesih bizim için lanetlenerek bizi Yasa'nın lanetinden kurtardı. Çünkü, 'Ağaç üzerine asılan herkes lanetlidir' diye yazılmıştır" (Gal. 3:13-14). Başka bir yerde şöyle açıklıyor: "Tanrı, günahı bilmeyen Mesih'i bizim için günah sunusu yaptı. Öyle ki, Mesih sayesinde Tanrı'nın doğruluğu olalım" (2. Kor. 5:21). Petrus da şöyle yazmıştır: "Nitekim Mesih de bizleri Tanrı'ya ulaştırmak amacıyla doğru kişi olarak doğru olmayanlar için günah sunusu olarak ilk ve son kez öldü. Bedence öldürüldü, ama ruhça diriltildi" (1. Pet. 3:18) ve "Bizler günah karşısında ölelim, doğruluk uğruna yaşayalım diye, günahlarımızı çarmıhta kendi bedeninde yüklendi. O'nun yaralarıyla şifa buldunuz" (1. Pet. 2:24).

Bu Hristiyanların İsa'nın ölümünün önemiyle ilgili ne dediğini anlıyor musunuz? Onlar, İsa'nın ölüme katlanma sebebinin kendi günahı olmadığını söylüyorlardı. (Hiçbir günahı yoktu!) Bu cezaya halkının günahları için katlanmıştı! Golgota'da çarmıhtayken İsa, Tanrı halkının sahip olduğu bütün günahların o korkunç yükünü üstlendi. Onların bütün isyanları, bütün itaatsizlikleri, bütün günahları O'nun omuzlarındaydı. Tanrı'nın Aden Bahçesi'nde verdiği lanet hükmü (ölüm cezası) orada yerini bulmuştu.

İsa'nın acı içinde, "Eli, Eli, lema şevaktani?" yani "Tanrım, Tanrım, beni neden terk ettin?" diye bağırmasının sebebi budur. Babası, kutsal ve doğru, gözleri kötülüğe bakamayacak kadar saf olan Tanrı, Oğlu'na baktı, halkın günahlarının omuzlarında olduğunu gördü, iğrenerek yüzünü döndü ve gazabını Oğlu'nun üstüne döktü. Matta, İsa çarmıhta asılıyken her yerin üç saat boyunca karanlıkla kaplandığını yazıyor. Bu, gazabın, halkının günahları için ölürken İsa'nın üzerine dökülen o ağır gazabın karanlığıydı.

Yeşaya, bu olaydan yaklaşık yedi yüzyıl önce bununla ilgili şu peygamberlikte bulunmuştu:

Aslında hastalıklarımızı o üstlendi,
Acılarımızı o yüklendi.
Bizse Tanrı tarafından cezalandırıldığını,
Vurulup ezildiğini sandık.
Oysa, bizim isyanlarımız yüzünden onun bedeni deşildi,
Bizim suçlarımız yüzünden o eziyet çekti.
Esenliğimiz için gerekli olan ceza
Ona verildi.
Bizler onun yaralarıyla şifa bulduk. (Yeş. 53:4-5)

Bunun anlam ve önemini görüyor musunuz? Bu, ölmesi gereken kişinin aslında İsa değil, *ben* olduğum anlamına geliyor. O'nun yerine *ben* cezalandırılmalıydım. Ama yine de O, benim yerime geçti. Benim için öldü.

Bunlar benim günahlarımdı ama O'nun yaraları oldular. Bunlar benim yanlışlarımdı, ama O'nun işkencesi oldular. Benim günahım, O'nun acısı oldu ve O'nun çektiği ceza benim esenliğimi satın aldı. Yaraları bana şifa oldu. Acısı, sevincim oldu.

Ölümü, yaşamım oldu.

Müjde'nin Kalbi

Maalesef bu doktrin (İsa'nın yerimize geçmesi), dünyanın Hristiyan Müjdesi'nde en çok nefret ettiği bölümlerden biridir. İnsanlar, İsa'nın başkasının günahları için cezalandırılması fikrinden iğrenirler. Birden fazla yazar, kendi kitaplarında buna "kutsal çocuk istismarı" demiştir. Ama yerimize ödenen kefaret doktrinini bir kenara atmak, Müjde'nin kalbini söküp çıkarmak anlamına gelir. Aslında Kutsal Kitap'ta, İsa'nın ölümüyle gerçekleştirdiği birçok şey anlatılmaktadır. Örneğin çarmıhıyla bize örnek olması, bizi Tanrı'yla barıştırması ve zafer kazanması gibi üç farklı örnek verilebilir. Ama tüm bunların ardında, bütün bu resimlerin asıl işaret etmekte olduğu gerçek yatar: yerimize çekilen ceza. Bunu bir kenara atamaz ve diğer noktaları öne çıkarmak adına bu noktanın önemini azaltamazsınız. Aksi takdirde, Kutsal Yazılar'ı karıştırıp ortaya bir sürü cevapsız soru çıkarmış olursunuz. Kurbanlar niye vardı? Kan dökülmesi ne işe yarıyordu? Tanrı, adaletini bozmadan günahkârlara nasıl lütuf gösterebilir? Nasıl hem suçları ve isyanları bağışlar hem de hiçbir suçu cezasız bırakmaz (Çık. 34:7)? Nasıl olur da doğru ve kutsal Tanrı, tanrısızları aklar (Rom. 4:5)?

Bütün bu soruların cevabı Golgota'daki çarmıhta, İsa'nın kendi halkı yerine ölümünde yatmaktadır. Doğru ve kutsal olan bir Tanrı, tanrısızları aklayabilmektedir çünkü İsa'nın ölümüyle, lütuf ve adalet tamamıyla uyumlu bir hale gelmiştir. Lanet doğrulukla (adaletle) uygulandı ve bizler de lütufla kurtuluş bulduk.

O Dirildi

Tabii ki bu iyi bir haber ve bunların hepsi doğru. Ama bunlar, çarmıha gerilen Kral İsa artık ölü olmadığı için doğrudur. O mezardan dirildi. İsa'nın ölümünden sonra öğrencileri yıkıma uğratan o şüphe, meleğin oradaki kadına şunları söylemesiyle aniden ortadan kalkmıştır: "Diri olanı neden ölüler arasında arıyorsunuz? O burada yok, dirildi" (Luk. 24:5–6).

Eğer İsa da diğer birçok "kurtarıcı", "öğretmen" veya "peygamber" gibi ölü olarak kalsaydı, ölümünün sizin veya benim ölümümden hiçbir farkı olmazdı. Ölümün pençeleri, diğer her insana yaptığı gibi, O'nu da sarar, O'nun bütün iddialarını bir hiç haline getirirdi ve insanlığın günahtan kurtulmak için hiçbir umudu kalmazdı. Ancak aldığı ilk nefes dirilmiş ciğerlerine tekrardan dolduğunda, yaşam vücuduna tekrardan girip onu hareket ettirdiğinde, İsa Mesih'in iddia ettiği her şey, sonunda tamamen, şüpheye yer bırakmayacak ve asla geri döndürülemeyecek bir şekilde gerçekleşmiş ve kanıtlanmış oldu.

Pavlus, Romalılar 8'de İsa'nın dirilişinden dolayı sevinçle coşmakta ve dirilişin iman edenler için taşıdığı anlamla ilgili şunları söylemektedir:

> Tanrı'nın seçtiklerini kim suçlayacak? Onları aklayan Tanrı'dır. Kim suçlu çıkaracak? Ölmüş, üstelik dirilmiş olan Mesih İsa, Tanrı'nın sağındadır ve bizim için aracılık etmektedir. (Rom. 8:33-34)

Bunu düşünmek ne kadar harika! Bu kişi, İsa, şimdi Baba Tanrı'nın sağında oturuyor ve evrenin Kralı olarak hüküm sürüyor! Sadece bu da değil, şimdi bile, bizler O'nun yücelik içinde son kez gelişini beklerken, halkı için göklerde aracılık ediyor.

Ama tüm bunlar akla bir soruyu daha getiriyor değil mi? "O'nun halkı" kim?

BEŞİNCİ BÖLÜM

Yanıt: İman ve Tövbe

Oğluma yüzmeyi çok erken yaşlarda öğretmeye başladım. Tam bir angaryaydı. Küçük oğlum küvette yüzüne su gelmesinden hiç hoşlanmıyordu, kaldı ki şimdiyse önünde kocaman bir havuz vardı. "Ona yüzmeyi öğretmek" ilk başlarda biraz ıslanmasını ve belki de eğer cesaret edebilirse, havuzun en üst basamağında durup dudak hizasına kadar suya girmesini ve baloncuklar çıkarmasını sağlamak anlamına geliyordu.

Sonunda oğlumu havuzun alçak olan kısmında benimle birlikte yürümeye (tabii ki boynuma sımsıkı tutunarak) ikna ettim. Yürüme kısmını iyice öğrendikten sonra, artık gösteri zamanı, yani suya atlama zamanı gelmişti. Tanrı'nın bana verdiği babalık göreviyle, oğlumu sudan çıkarıp havuzun kenarına koydum ve "Haydi, atla!" dedim.

Bence o anda oğlum benim bir deli olduğuma karar verdi. İki saniye içinde yüzündeki ifade kafa karışıklığından şaşkın bir farkındalığa, sonra da gülerek bir redde ve son olarak da düpedüz itaatsizliğe dönüştü. Somurtarak, "Hayır, annemin yanına gideceğim" dedi. Yine babalık görevime sadık kalarak, teslim olmayı reddettim ve onu yakalayıp (biraz da rüşvet vererek) sonunda havuza geri gelmeye ikna ettim. Kader anı gelmişti.

Suya tekrar atladım ve kollarım açık bir şekilde oğlumun önünde durdum. Bir yaşındaki çocukların yaptığı gibi, bir yandan atlamak istiyor ama bir yandan da istemiyor ve bu yüzden önümde beziyle bir yukarı bir aşağı sallanıp duruyordu. "Haydi oğlum" dedim, "Ben buradayım, seni tutarım. Söz!" Yarı şüpheli bir tavırla bana baktı, biraz daha sallandı ve atlamaktan çok, kendini havuza bıraktı.

Onu tuttum.

Sonrasında artık durmayan bir oyun başlamıştı. "Bir daha yap babacım! Bir daha!" Böyle yarım saat boyunca tekrar tekrar atla, yakala, kaldır şeklinde oynadık.

Oyun bittiğinde eşim ve ben, belki de oğlumuzun suyla oynamak konusunda biraz fazla rahat olduğunu düşündük. Ya biz yokken bir havuza atlamaya kalkarsa? Acaba babasının onu yakaladığı zamanları hatırlayıp havuza yine atlamak ister mi? Bir daha atlar mı?

Takip eden birkaç gün boyunca oğlumuzun havuzun etrafındaki hareketlerini izledik ve gördüğüm şey beni hem bir baba olarak rahatlattı hem de yüreğime dokundu. Küçük oğlum havuza atlamayı bir kere bile düşünmedi. En azından ben havuzda kollarımı açıp onu tutacağımın sözünü verene kadar. Ben havuzda ona söz verdikten sonraysa artık uçuşa geçebilirdi!

Görüyorsunuz ki, daha önceki bütün başarılarına rağmen, oğlumun su konusundaki güveni kendi beceresine yönelik değildi. Babasına ve onun verdiği şu söze güveniyordu: "Haydi oğlum. Atla. Seni yakalayacağım. Söz!"

İman ve Tövbeye Giriş

Markos bize, İsa'nın hizmetine şunu vaaz ederek başladığını aktarır: "Zaman doldu. Tanrı'nın Egemenliği yaklaştı. Tövbe edin, Müjde'ye inanın!" (Mar. 1:15). Bu tövbe ve iman buyruğu, Tanrı'nın İsa Mesih'in Müjdesi'ne cevap olarak yapmamızı beklediği şeydir.

Yeni Antlaşma boyunca İsa'nın öğrencilerinin, insanları bu iki şeyi yapmaya çağırdığını görüyoruz. İsa O'nu dinleyenlere, iman edip tövbe etmelerini söyledi. Pentikost'taki vaazının sonunda Petrus, insanlara şöyle dedi: "Tövbe edin, her biriniz İsa Mesih'in adıyla vaftiz olsun" (Elç. 2:38).[1] Pavlus da kendi hizmetini Elçilerin İşleri 20:21'de şunları söyleyerek açıklıyor: "Hem Yahudiler'i hem de Grekler'i, tövbe edip Tanrı'ya dönmeye ve Rabbimiz İsa'ya inanmaya çağırdım." Yine Elçilerin İşleri 26:18'te Pavlus, İsa'nın onu görevlendirişini şöyle anlatmakta:

> Ulusların gözlerini açmak ve onları karanlıktan ışığa, Şeytan'ın hükümranlığından Tanrı'ya döndürmek için gönderiyorum. Öyle ki, bana iman ederek günahlarının affına kavuşsunlar ve kutsal kılınanların arasında yer alsınlar.

İman ve tövbe. Mesih'in halkını veya "Hristiyanları" ayıran şeyler bunlardır. Başka bir deyişle, Hristiyan demek, günaha sırtını dönen ve günahlarından ve bundan doğan yargıdan kurtulmak için başka hiçbir şeye güvenmeyip yalnızca Rab İsa Mesih'e güvenen kişi demektir.

İman Güvenmektir

İman çok uzun süredir yanlış kullanılan kelimelerden bir tanesi olduğundan dolayı, birçok insan bunun ne anlama geldiğini bilmemektedir. Sokaktaki birinden imanı tanımlamasını isteyin. Kulağa saygılı gelen bazı cevaplar alabilecek olsanız bile, büyük ihtimalle işin özünde iman, gülünç ve inanılmaz olana, aksini gösteren tüm kanıtlara rağmen inanmak olacaktır.

---

1 İsa adıyla vaftiz olmak, O'na edilen imanın açıkça simgelenmesidir.

Senelerden birinde, büyük oğlumla birlikte geleneksel Macy's Şükran Günü Geçit Törenini izliyordum. Törenin o seneki teması "İnan!" şeklindeydi ve kameraların odak noktasında da sunucuların "inanç-metre" dedikleri şey vardı. Bu metre, her bir balon ve tören takımı geçerken, alkış ve müziğin sesine göre biraz daha yukarı çıkıyordu. Geçidin zirve yaptığı ve bu "inanç-metre"nin çıldırdığı nokta, Noel Baba'nın harika bir kaz şeklinde yapılmış kızağına binerek geçmesiydi! Müziği, dansları, konfetileri ve çığlık çığlığa olan çocukları ve yetişkinleri düşününce, herhalde o anda buraya bir uzaylı gelse, evet, Virginia'nın, bu insanların buna *gerçekten* de inandığı sonucuna varırdı.

Altı yaşındaki oğlum, bütün bunların çok gürültülü ve saçma olduğunu düşünmüştü.

Ama işte dünya, iman hakkında da böyle düşünüyor. Bir gösteri, isteyenin katıldığı, insanları rahatlatan, eğlenceli ama gerçek dünyayla hiç alakası olmayan bir oyun. Çocuklar, Noel Baba'ya ve Paskalya Tavşanı'na inanırlar. Mistikler, taşların ve kristallerin gücüne inanırlar. Deli insanlar, perilere inanır. Hristiyanlar da İsa'ya inanırlar.

Ancak Kutsal Kitap'ı okuduğunuzda göreceksiniz ki, imanın bu anlattığım olayla yakından uzaktan hiçbir alakası yoktur. İman, birçok kişinin tanımında olduğu gibi, kanıtlayamayacağınız bir şeye inanmak değildir. Kutsal Kitap'a göre iman, *güven* demektir. Dirilmiş İsa'nın bizi günahlarımızdan kurtaracağına olan kaya gibi sağlam ve gerçeğe dayalı bir *güven.*

Pavlus, Romalılar 4. bölümde İbrahim'i anlatırken, bize imanın doğasını açıklamaktadır. Pavlus, İbrahim 'in imanını şöyle tasvir eder:

> İbrahim umutsuz bir durumdayken birçok ulusun babası olacağına umutla iman etti. "Senin soyun böyle olacak" sözüne güveniyordu. Yüz yaşına yaklaşmışken, ölü denebilecek bedenini ve Sara'nın ölü rahmini düşündüğünde imanı zayıflamadı. İmansızlık edip Tanrı'nın vadinden kuşkulanmadı; tersine, imanı güçlendi ve Tanrı'yı yüceltti. Tanrı'nın vaadini yerine getirecek güçte olduğuna tümüyle güvendi. (Rom. 4:18-21)

İbrahim, Tanrı'nın vaadinin aksini gösteren her şeye rağmen (İbrahim'in yaşı, eşinin yaşı ve kısırlığı), Tanrı'nın söylediklerine inandı. Tanrı'ya ve vaatlerini gerçekleştireceğine tereddütsüz güvendi. İbrahim'in imanı tabii ki de kusursuz değildi. Hacer'in doğurduğu İsmail, bunun bir kanıtıdır. İbrahim ilk başta kendi çabalarına güvendi ve Tanrı'nın vaatlerini kendi kendine gerçekleştirmeye çalıştı. Ama günahından tövbe ederek, sonunda güvenini Tanrı'ya bağladı. Pavlus'un da dediği gibi: "Tanrı'nın vaadini yerine getirecek güçte olduğuna tümüyle güvendi."

İsa Mesih'in Müjdesi, bize de aynısını yapmamızı buyuruyor. Bizler de İsa'ya iman etmeli, O'na bel bağlamalı ve vaatlerini gerçekleştireceğine güvenmeliyiz.

Doğru İlan Edileceğimize İman

Peki İsa'ya tam olarak ne için güveniyoruz? Basit bir tabirle, İsa'nın, bizim Yargılayan Tanrı'nın önünde suçlu değil, doğru ilan edileceğimizi kesinleştirmiş olmasına güveniyoruz.

Açıklayayım. Kutsal Kitap bize her insanın en büyük ihtiyacının, Tanrı'nın gözünde kötü sayılmaktansa, doğru sayılmak olduğunu öğretir. Yargı geldiğinde ihtiyacımız olan şey, hakkımızda verilen kararın "lanetlendi" değil, "doğru bulundu" olmasıdır. Kutsal Kitap'ın "aklanmış olma" kavramından kastı da budur. Tanrı'nın gözünde suçlu değil, doğru olduğumuzun ilan edilmesidir.

Peki doğru olduğumuzu ilan edecek bu karara nasıl kavuşabiliriz? Kutsal Kitap, bunun Tanrı'dan hayatlarımızı gözden geçirmesini isteyerek başarılamayacağını açıkça söylemektedir. Hayır, bu aptalca bir hareket olurdu. Eğer Tanrı bizi aklayacaksa, bunu günahlı sabıkamızdan (geçmişimizden) bağımsız bir şekilde yapmalı. Bu, *bir başkasının* geçmişiyle, mahkemede yerimizi alacak bir kişinin geçmişiyle olmak zorundadır. İsa'ya iman işte burada devreye giriyor. O'na iman ettiğimizde, hem sürdüğü mükemmel hayatla hem de cezalarımıza karşılık çarmıhtaki ölümüyle, O'nun Tanrı'nın önünde bizi temsilen durduğuna güveniyoruz demektir. Başka bir deyişle Tanrı'nın, İsa'nın geçmişini bizimkinin yerine koyacağına ve böylece bizi doğru ilan edeceğine güveniriz (Rom. 3:22).

Şu şekilde de düşünebilirsiniz: İsa'nın bizi kurtaracağına güvendiğimizde, O'nunla bir oluruz ve harika bir takas gerçekleşir. Bütün günahımız, isyanımız, kötülüğümüz İsa'ya aktarılır (O'nun sayılır) ve O bunlar yüzünden ölür (1. Pet. 3:18). Aynı zamanda, İsa'nın kusursuz hayatı da bize aktarılır ve bizlerin artık doğru olduğu ilan edilir. Tanrı bize bakar ve günahımızı görmek yerine, İsa'nın doğruluğunu görür.

Romalılar 4. bölümde Pavlus, Tanrı'nın tüm yaptıklarımıza rağmen bizi "aklanmış sayması"ndan ve bütün günahımızın "örtülmesi"nden bahsederken işte bunu kastetmektedir (5. ve 7. ayet). En önemlisi de Pavlus şaşırtıcı bir biçimde Tanrı'nın "tanrısızı akladığını" söylerken, bu takası kastetmektedir (5. ayet)!

Tanrı bizleri doğru olduğumuz için doğru ilan etmez. Üstelik şükürler olsun ki, bu böyledir. Çünkü hiçbirimiz bu standarda uygun değiliz. Hayır, Tanrı bizleri iman sayesinde Mesih'in doğruluğunu giyindiğimiz için doğru ilan eder. Tanrı bizleri yalnızca lütfu aracılığıyla kurtarır ve bunun sebebi bizim yaptığımız herhangi bir şey değil, *İsa*'nın bizler için yaptıklarıdır.

Zekeriya peygamber, başkâhin Yeşu'ya yeni giysilerin verilişini anlatırken, bu noktayı çok güzel bir şekilde vurgular. Şöyle yazar:

> RAB, meleğinin önünde duran Başkâhin Yeşu'yu ve onu suçlamak için sağında duran Şeytan'ı bana gösterdi. RAB'bin meleği Şeytan'a, "RAB seni azarlasın, ey Şeytan!" dedi, "Yeruşalim'i seçen RAB seni azarlasın! Bu adam ateşten çıkarılan yarı yanmış odun parçası değil mi?"
> Yeşu meleğin önünde çok kirli giysiler içinde duruyordu. Melek önündeki meleklere, "Üzerinden kirli giysileri çıkarın" dedi. Sonra Yeşu'ya, "Bak, suçunu kaldırdım.
> Sana bayramlık giysiler giydireceğim" dedi. Ben de Yeşu'nun başına temiz bir sarık sarmalarını söyledim. Başına temiz bir sarık sarıp onu giydirdiler. RAB'bin meleği de onun yanında duruyordu. (Zek. 3:1-5)

Ne bu zengin gösteren güzel elbiseler ne de temiz sarık Yeşu'ya aitti. Ona ait olan tek şey, giymekte olduğu ve Şeytan'ın onu azarlamakta kullanacağı kirli elbiseleriydi. Hayır, Yeşu'nun Tanrı önünde sahip olduğu doğruluk ona ait değildi. Ona bir başkası tarafından verilmişti.

Bu, biz Hristiyanlar için de geçerlidir. Tanrı'nın önündeki doğruluğumuz bize ait değildir. İsa tarafından bize verilmiştir. Tanrı kendi Oğlu'na baktı ve bizim günahımızı gördü. Şimdiyse bize bakıyor ve İsa'nın doğruluğunu görüyor. İlahide de söylendiği gibi,

Adil Tanrı memnun oldu,
O'na bakıp beni bağışlamaktan.[2]

Yalnızca İman

Kurtuluşunuz için İsa'ya (günahınız için ölümüyle, doğruluğunuz için yaşamıyla) ne kadar muhtaç olduğunuzu anladığınızda, kurtuluşun *yalnızca* O'na iman aracılığıyla geldiği konusunda Kutsal Kitap'ın neden bu kadar ısrarcı olduğunu da anlıyorsunuz. Bu dünyada başka bir yol yok, başka bir kurtarıcı yok, kendi çaba ve gücünüz de dahil, kurtuluşunuz için güvenebileceğiniz hiçbir şey veya hiç kimse yok.

İnsanlık tarihindeki her bir din, yalnızca imanla aklandığımız fikrini reddetmektedir. Bunun yerine diğer dinler, kurtuluşun ahlaki çabalarla, iyi işlerle ve bir şekilde kişinin kötü işlerini iyi işleriyle dengeleyip telafi etmesi sonucu kazanılacağını öne sürerler. Bu pek de şaşırtıcı bir şey değildir. Kurtuluşumuza katkımızın olabileceğini düşünmek ve hatta bu konuda *ısrar etmek*, oldukça insani bir şeydir.

Sonuçta hepimiz kendine güvenen insanlarız, öyle değil mi? Kendi kendimize yetebileceğimize ikna olmuş durumdayız ve geldiğimiz noktaya bir başkasının müdahalesi sonucu geldiğimizi ima eden herhangi bir söylem bizi rahatsız eder. Birinin çıkıp işiniz veya değer verdiğiniz başka bir şey hakkında size, "Sen bunu kendi başına elde etmedin. Buna sahip olmanın sebebi, bir başkasının sana *vermiş* olması" dediğini düşünün. Tanrı önündeki kurtuluşumuz da aslında tam da bu şekildedir. Kurtuluş bizlere bir lütuf armağanı olarak verilir ve bunda bizim hiçbir katkımız yoktur. Ne kendi doğruluğumuz, ne günahlarımızın bedelini kendi başımıza ödememiz, ne de kötü işlerimizi iyi işlerle dengelememiz söz konusu değildir (Gal. 2:16).

2 "Before the Throne of God Above," Charitie L. Bancroft, 1863.

İsa'ya iman etmeniz, Tanrı önünde doğru sayılmak için başka hiçbir umudunuzun olmaması anlamına geliyor. Kendinizi bazen iyi işlerinize güvenirken buluyor musunuz? İman, bu iyi işlerin maalesef tamamen boş olduğunu kabul etmek ve sadece Mesih'e güvenmek demektir. Kendinizi bazen iyi olduğunu düşündüğünüz yüreğinize güvenirken buluyor musunuz? İman, bu yüreğin hiçbir şekilde iyi olmadığını kabul etmek ve sadece Mesih'e güvenmektir. Başka bir deyişle, havuzun kenarından suya atlamak ve "İsa, sen beni yakalamazsan, işim biter. Başka umudum, başka bir kurtarıcım yok. Kurtar beni İsa, yoksa öleceğim" demektir.

İman budur.

Tövbe, Madalyonun Öteki Yüzü

İsa'nın kendi takipçilerine mesajı şuydu: "Tövbe edin, Müjde'ye inanın!" (Mar. 1:15). Eğer iman, gözlerimizi İsa'ya çevirip kurtuluşumuz için O'na güvenmekse, tövbe de madalyonun öteki yüzüdür. Tövbe günaha yüz çevirmek, ondan nefret etmek ve kendisine imanla dönerken Tanrı'nın gücüyle, günahı terk etmektir. Petrus bir kalabalığa şunları söyler: "Öyleyse, günahlarınızın silinmesi için tövbe edin ve Tanrı'ya dönün" (Elç. 3:19). Pavlus da herkesi "tövbe edip Tanrı'ya dönmeye ve bu tövbeye yaraşır işler yapmaya" çağırmaktadır (Elç. 26:20).

Tövbe, Hristiyan hayatında kişisel tercihe bırakılan bir şey değildir. Tövbe, Hristiyan hayatının olmazsa olmaz bir parçasıdır ve Tanrı tarafından kurtarılanları, kurtarılmayanlardan ayırır.

Şuna benzer şeyler söyleyen bir sürü insan tanıdım: "Evet, İsa'yı Kurtarıcı olarak kabul ettim, yani Hristiyan'ım. Ama O'nu Rab olarak kabul etmeye henüz tam olarak hazır değilim. Hayatımda düzene koymam gereken bazı şeyler var." Bir başka deyişle, tövbe etmeden de İsa'ya iman edebileceklerini ve kurtulabileceklerini iddia ediyorlardı.

Tövbeyi doğru bir şekilde anlarsak, şunu görürüz ki, İsa'yı Rab olarak kabul etmeden O'nu Kurtarıcı olarak görebileceğiniz fikri, saçmalıktan ibarettir. Bir kere böyle bir iddia, Kutsal Kitap'ın tövbe ve tövbeyle kurtuluş ilişkisi hakkındaki söylediklerine ters düşmektedir. Örneğin İsa şu uyarıda bulunmuştur: "Tövbe etmezseniz, hepiniz böyle mahvolacaksınız" (Luk. 13:3). İsa'nın öğrencileri, Petrus'tan Kornelius'un iman ettiğini duyduklarında, Yahudi olmayan bu adama "tövbe etme ve yaşama kavuşma fırsatını" verdiği için Tanrı'yı yüceltmişlerdi (Elç. 11:18) ve Pavlus da 2. Korintliler 7:10'da, "kurtuluşla sonuçlanan tövbe"den bahsetmektedir.

Dahası, İsa'ya iman etmek, özünde, O'nun iddia ettiği kişi olduğuna, çarmıha gerilmiş ve dirilmiş olan Kral olarak ölümü ve günahı fethettiğine ve kurtarmaya kadir olduğuna inanmaktır. Şimdi bir insan nasıl hem tüm bunlara inanır, güvenir ve bel bağlar hem de bir yandan, "Ama ben, üzerimde Kral olduğunu kabul etmiyorum" diyebilir ki? Bu saçmalıktır. İsa'ya iman, O'nun fethettiği rakip gücü, yani günahı reddetmeyi de beraberinde getirir. Günahın reddedilmediği yerde, onu alt eden Kişi'ye de gerçek anlamda iman edilmiyor demektir.

Matta 6:24'te İsa'nın söylediği gibi: "Hiç kimse iki efendiye kulluk edemez. Ya birinden nefret edip öbürünü sever, ya da birine bağlanıp öbürünü hor görür." Kral İsa'ya iman etmek, O'nun düşmanlarını reddetmek demektir.

Tövbe, Kusursuzluk Değil, Tarafını Belli Etmektir

Tabii bu söylediklerim Hristiyanların asla günah işlemeyeceği anlamına gelmiyor. Günahtan tövbe etmek, bir daha asla günah işlemeyeceğiniz ve günahtan hayatınızın her alanında tamamen kurtulacağınız anlamına gelmiyor. Hristiyanlar, Tanrı kendilerine yeni bir ruhsal yaşam verdiği halde, düşmüş günahkârlar olmaya devam ederler ve İsa'yla yüceliğe kavuşana dek de günahla mücadeleye etmeye devam edeceğiz (örn. bkz. Gal. 5:17; 1. Yuh. 2:1). Ama her ne kadar tövbe, günahlarımızın hemen o anda sona ereceği anlamına gelmese de, artık günahla barışık bir şekilde yaşamayacağımız anlamına gelmektedir. Günaha karşı ölümüne savaş açar ve Tanrı'nın gücüne dayanarak, kendimizi yaşamımızın her cephesinde günaha karşı direnmeye adarız.

Çoğu Hristiyan gerçekten tövbe ettiklerinde günahın ve ayartmanın bir şekilde ortadan kalkacağını düşündüğü için, tövbe kavramını anlamakta zorlanır. Bekledikleri şekilde olmayınca umutsuzluğa kapılır ve İsa'ya imanlarının gerçekliğini sorgulamaya başlarlar. Yeniden doğmamızı sağladığında, Tanrı'nın bizlere günaha karşı savaşma gücü verdiği doğrudur (1. Kor. 10:13). Ama yüceltilene dek günahla mücadele etmeye devam edeceğimiz için, gerçek tövbenin daha çok yüreğimizle, günaha karşı tutumumuzla ilgili olduğunu ve sadece bir davranış değişikliği meselesi olmadığını hatırlamalıyız. Günahtan nefret edip ona karşı savaşıyor muyuz yoksa onu bağrımıza basıp savunuyor muyuz?

Bir yazar bu gerçeği çok güzel bir şekilde ortaya koymuştur:

> İman edenle etmeyen arasındaki fark, birinin günahlı ve diğerinin günahsız olması değil; birinin korkunç bir

> Tanrı karşısında sevgili günahlarından yana olması, diğerininse nefret ettiği günahları karşısında barışmış olduğu Tanrı'dan yana olmasıdır.[3]

Peki siz hangi taraftasınız? Günahlarınızın mı yoksa Tanrınız'ın tarafında mı?

Gerçek Değişim, Gerçek Meyve

Bir kişi gerçekten tövbe edip Mesih'e iman ettiğinde, Kutsal Kitap'a göre, o kişiye yeni bir ruhsal yaşam verilir. Pavlus şöyle der: "Sizler bir zamanlar içinde yaşadığınız suçlardan ve günahlardan ötürü ölüydünüz." "Ama merhameti bol olan Tanrı bizi çok sevdiği için, suçlarımızdan ötürü ölü olduğumuz halde, bizi Mesih'le birlikte yaşama kavuşturdu" (Ef. 2:1, 4–5). Bu olduğunda, hemen olmasa da, hatta hızlı veya sürekli olarak her saniye olmasa da, hayatımız değişir. Meyve vermeye başlarız.

Kutsal Kitap, Hristiyanların da tıpkı İsa gibi, sevgi, merhamet ve iyilikle anılacak şekilde olmaları gerektiğini söyler. Gerçek Hristiyanlar, Pavlus'a göre, "tövbeye yaraşır işler" yaparlar (Elç. 26:20). İsa da şöyle der: "Her ağaç meyvesinden tanınır. Dikenli bitkilerden incir toplanmaz, çalılardan üzüm devşirilmez" (Luk. 6:44). Başka bir deyişle, insanlar yeni ruhsal yaşamı aldıklarında, İsa'nın yaptığı şeyleri yapmaya başlarlar. İsa gibi yaşamaya başlar ve iyi meyve verirler.

Her zaman kendimizi sakınmamız gereken bir konu da, bu meyvelerin kurtuluşumuzun sebebi olduğu düşüncesidir. Hayatımızda meyve görmeye başladığımızda, kurtuluşumuz için Mesih yerine bunlara güvenmemiz tehlikesi her zaman vardır. Bir Hristiyan olarak, kendinizi bu ayartmaya karşı

---

3 William Arnot, *Laws from Heaven for Life on Earth* (London: T. Nelson and Sons, 1884), 311.

koruyun. Verdiğiniz meyvenin, Tanrı'nın lütfuyla Mesih'te iyi kılınmış bir ağacın meyvesinden daha fazlası olmadığını fark edin. Tanrı'nın beğenisini kazanma yolunda verdiğiniz meyvelere güvenmek, sonunda imanınızın İsa'dan kendinize doğru kaymasına sebep olacaktır ve bu, kurtuluş falan değildir.

Neyi Göstereceksiniz?

Yargı günü Tanrı'nın karşısında durduğunuzda, merak ediyorum, O'nun sizi doğru olarak sayması ve krallığının bütün bereketlerini size sunması için O'nu nasıl ikna etmeyi planlıyorsunuz? O'nu etkilemek için, yaptığınız hangi iyi şeyi veya sergilediğiniz hangi kutsal tutumu cebinizden çıkaracaksınız? Kiliseye düzenli olarak katılımınız mi? Aile hayatınız mı? Düşüncelerinizdeki kusursuzluk mu? Kendi gözünüzde gerçekten çok büyük bir suç işlememiş olmanız mı? Acaba O'nun karşısında neyi öne sürüp "Tanrım, *bundan* dolayı beni akla!" diyeceksiniz?

İmanı yalnızca Mesih'te olan her Hristiyan'ın, Tanrı'nın lütfuyla, bu sahnede ne yapacağını size söyleyeyim. Onlar yalnızca, sessizce, parmaklarıyla İsa'yı gösterecekler. Ardından şunu diyecekler: "Tanrım, benim hayatımda doğruluk arama. Oğluna bak. Kendi yaptığım herhangi bir şeyden veya olduğum kişiden dolayı değil, O'ndan dolayı beni doğru say. Yaşamam gereken hayatı, O yaşadı. Hak ettiğim ceza için O öldü. O'ndan başka güvenebileceğim hiçbir şey yok ve mazeretim sadece O'dur. Akla beni, ey Tanrı, İsa'dan dolayı."

ALTINCI BÖLÜM

Egemenlik

Kilisemizin girişinde bulunan park alanında bronz bir tabela var. Tabela, Müjde hizmetkârı Jim Elliot'un şu sözlerini ölümsüzleştiriyor: "Yitiremeyeceği bir şeyi kazanmak adına, elinde tutamayacağı bir şeyi veren kişi aptal değildir." Bu sözü seviyorum çünkü Hristiyan olmanın hem bedelini hem de ödülünü çok güzel ifade ediyor.

Hristiyan olmanın bedele mal olduğuna kuşku yoktur (Luk. 14:28). Ama ödüllerin tasvir edilemeyecek kadar harika olduğu da bir gerçektir. Günahların bağışlanması, Tanrı tarafından evlat edinilme, İsa'yla bir ilişki, Kutsal Ruh armağanı, günahın hükümranlığından özgürlük, kilise bedeninde paydaşlık, Tanrı'nın krallığına, yeni gökle yeni yeryüzüne dahil olmak, Tanrı'nın huzurunda sonsuzluk, O'nun yüzünü görmek; bütün bunlar Tanrı'nın Mesih'te bizlere sunduğu vaatleridir. Pavlus'un Yeşaya'dan alıntı yaparak şöyle demesine şaşırmamalı:

> Tanrı'nın kendisini sevenler için hazırladıklarını
> Hiçbir göz görmedi,
> Hiçbir kulak duymadı,
> Hiçbir insan yüreği kavramadı. (1. Kor. 2:9)

Hristiyan hayatı, yalnızca Tanrı'nın gazabından kaçmaktan ibaret değildir. Bundan çok daha ötedir! Bu hayat, Tanrı'yla *doğru* bir ilişki içinde yaşamak ve sonunda, sonsuza kadar Tanrı'yla olmak ve O'ndan zevk almakla ilgilidir. Yani bir anlamda Hristiyan hayatı, yitiremeyeceğimiz şeyi kazanmakla ilgilidir. Tanrı'nın sonsuz krallığının bir vatandaşı olmak demektir.

Bir insan İsa Mesih imanlısı olduğu andan itibaren, hayatındaki her şey sonsuza kadar değişir. Evet, biliyorum, bazen öyle hissetmiyoruz. Göksel bir konfeti atılmıyor, trampetler çalmıyor, melekler şarkı söylemiyor (en azından duyabileceğimiz şekilde) ama yine de değişim gerçektir. *Her şey* değişir. Pavlus'un sözleriyle Tanrı, "bizi karanlığın hükümranlığından kurtarıp sevgili Oğlu'nun egemenliğine" aktarmıştır (Kol. 1:13).

Tanrı'nın Egemenliği Nedir?

Tanrı'nın Egemenliği, Yeni Antlaşma'daki önemli temalardan biridir. Bizzat İsa devamlı olarak bu konuda vaaz etmiş ve şöyle demiştir: "Tövbe edin! Çünkü Göklerin Egemenliği yaklaştı." Elçilerin İşleri 28:32'de Pavlus'un hizmeti şu sözlerle özetlenmektedir: "Hiçbir engelle karşılaşmadan Tanrı'nın Egemenliği'ni tam bir cesaretle duyuruyor, Rab İsa Mesih'le ilgili gerçekleri öğretiyordu." İbraniler kitabının yazarı, Mesih'e iman edenler olarak "sarsılmaz bir egemenliğe kavuştuğumuz" gerçeğiyle sevinç bulmakta (İbr. 12:28) ve Petrus da okuyucularına, "Rabbimiz ve Kurtarıcımız İsa Mesih'in sonsuz egemenliğine girme" hakkının bize cömertçe sağlandığını hatırlatmaktadır (2. Pet. 1:11). Daha sonrasında Vahiy kitabında, göksel ordular övgüyle şöyle söylüyorlar: "Tanrımız'ın kurtarışı, gücü, egemenliği ve Mesihi'nin yetkisi şimdi gerçekleşti" (Vah. 12:10).

Peki bu egemenlik tam olarak nedir? Yeni bir diyar, Tanrı'nın özel bir yetkisi altında olan gerçek bir toprak parçası mı? Kilise mi? Çoktan geldi mi yoksa gelişini mi bekliyoruz?

Kimler Tanrı'nın egemenliğinde olacak? Tanrı'nın hakimiyeti, İsa'ya inansa da inanmasa da, zaten herkesi kapsamıyor mu? Hepimiz bu egemenliğin içinde değil miyiz? Ayrıca Hristiyan olsak da olmasak da, birlik içerisinde bu egemenliği kurmaya çalışamaz mıyız?

Kutsal Kitap'ın Tanrı'nın egemenliği hakkındaki öğretilerine bakarak bu soruların bazılarına değinelim.

TANRI'NIN ÖZGÜRLEŞTİREN EGEMENLİĞİ

İlk olarak Tanrı'nın egemenliği, O'nun insanlar üzerindeki özgürleştiren hükümdarlığıdır. *Egemenlik,* güçlü çağrışımları olan bir kelimedir ve bu noktada, bizdeki çağrışımları biraz kafa karışıklığına neden olabilir. Egemenlik kavramını düşündüğümüzde, genellikle çizilmiş sınırları olan belirli bir toprak parçasını kastederiz. *Egemenlik* (veya krallık), çoğumuz için aslında coğrafi bir terimdir. Ancak Kutsal Kitap'taki kullanımı için durum böyle değildir. Kutsal Kitap'a göre Tanrı'nın egemenliği, bir krallıktan ziyade, hükümranlığı kasteder. Dolayısıyla Tanrı'nın egemenliği demek, Tanrı'nın hüküm sürmesi, yetki sahibi olması demektir (Mez. 145:11, 13).

Ancak tanımımıza eklememiz gereken bir başka hayati kelime daha var. Kutsal Kitap, Tanrı'nın egemenliğinden bahsederken, sadece O'nun hakimiyetinden bahsetmez. Tanrı'nın egemenliği, O'nun özgürleştiren hakimiyetidir; O'nun *kendi halkı üzerinde,* sevgiyle egemen olmasıdır.

Elbette evrendeki hiçbir noktanın, hiçbir insanın Tanrı'nın hükümdarlığından bağımsız olmadığı veya bir şekilde O'nun yetki alanı dışında olmadığı bir gerçektir. Her şeyi O yarattı, her şey üzerinde O egemendir ve herkesi O yargılayacaktır. Kutsal Kitap "Tanrı'nın egemenliği" ifadesini kullanırken, genellikle özel olarak Tanrı'nın kendi halkı, yani Mesih aracılığıyla kurtarılmış olanlar üzerindeki hakimiyetini kastetmektedir. Bu nedenle Pavlus, Hristiyanların karanlığın hükümranlığından İsa'nın egemenliğine geçtiğinden bahsetmekte (Kol. 1:12-13) ve kötülerin (günahkârların) Tanrı'nın egemenliğini miras almayacağını titiz bir dille vurgulamaktadır (1. Kor. 6:9).

Dolayısıyla basit bir şekilde ifade etmek gerekirse, Tanrı'nın egemenliği, Tanrı'nın İsa tarafından kurtuluşa ve özgürlüğe kavuşturulmuş kişiler üzerindeki özgürleştiren hükümranlığı ve yetkisidir.

GELEN BİR EGEMENLİK

İkinci olarak, Tanrı'nın egemenliği burada, aramızdadır. İsa dünyadaki hizmetine şu çarpıcı mesajı vaaz ederek başladı: "Tövbe edin! Göklerin Egemenliği yaklaşmıştır" (Mat. 3:2). Aslında bunu şöyle de çevirebilirdiniz: "Tövbe edin! Göklerin Egemenliği gelmiştir!"

Bu sözlerle İsa'nın nasıl büyük bir iddiada bulunmakta olduğunu daha önce gördük. Yahudiler yüzlerce yıl boyunca bu krallığın ortaya çıkmasını, Tanrı'nın hükümdarlığının yeryüzünde kurulmasını ve halkının da sonunda aklanıp gün yüzü görmesini beklemiş, umut etmiş ve bunlar için dua etmişlerdi. Şimdiyse İsa, sonradan öğretmen olmuş bu Nasıralı marangoz gelmiş ve onlara bekledikleri günün geldiğini söylüyordu.

İsa bununla da kalmıyor, Tanrı'nın egemenliğinin *kendisiyle* ortaya çıktığını iddia ediyordu! Matta 12:28'de, Ferisiler İsa'yı Şeytan'ın adını kullanarak cin çıkarmakla suçladığında, İsa bir başka çarpıcı iddia ortaya atar: "Ama ben cinleri Tanrı'nın Ruhu'yla kovuyorsam, Tanrı'nın Egemenliği üzerinize gelmiş demektir." İsa'nın burada ne dediğini anlıyor musunuz? Açık bir şekilde İsa, cinleri kovmaktaydı ve bunu Tanrı'nın Ruhu aracılığıyla yapıyordu. Burada iddia ettiği şeyse, Tanrı'nın insanlara vaat ettiği kurtuluşun artık başlamış olduğuydu. Egemenlik gelmişti.

Bunu düşünmek ne harika! İsa'nın beden alması, Yaratıcı'nın nazik bir ziyaretinden çok daha fazlasıydı. Bu, Tanrı'nın Adem'in düşüşüyle birlikte dünyaya giren günah, ölüm ve yıkıma karşı yaptığı son ve en güçlü saldırının başlangıcıydı.

Gerçekleşmekte olan bu savaşı, İsa'nın yaşam öyküsü boyunca bütün Yeni Antlaşma'da görebilirsiniz. Kral İsa yalnız bir şekilde çöle gidip daha önce Adem'i ayartıp düşmesine ve dünyanın yozlaşmasına neden olan Şeytan'la yüzleşir ve onu mutlak bir şekilde mağlup eder! Doğuştan kör bir adamın gözlerine dokunur ve adamın gözlerine ilk kez ışık girer. Karanlık bir mezara döner ve "Lazar, dışarı çık!" diye bağırır ve ölü adam mezardan dışarı çıkarken, ölüm insanlar üzerindeki gücünü yitirmeye başlar.

Elbette hepsinin de ötesinde günah, İsa çarmıhta "Tamamlandı!" diye haykırdığında yenilmiş ve ölümün gücü de meleğin şu sözleriyle (muhtemelen yüzünde bir tebessümle) tamamıyla yok olmuştur: "Diri olanı neden ölüler arasında arıyorsunuz? O burada yok, dirildi" (Luk. 24:5-6). İsa adım adım, her seferinde yeni bir darbeyle, Aden'deki düşüşün etkilerini geri çevirmekteydi. Dünyanın gerçek Kralı gelmişti ve egemenliğini kurmasının önünde duran her şey –günah, ölüm, cehennem, Şeytan– kesin bir şekilde alt ediliyordu.

Bu da, bu egemenliğin getirdiği bereketlerin birçoğuna bizlerin de halihazırda sahip olduğu anlamına gelmektedir. İsa, öğrencilerine onları yönlendirecek, günahlarını onlara gösterecek ve onları kutsallaştıracak "bir Yardımcı"yı, yani Kutsal Ruh'u göndereceğini söylüyor. Aynı şekilde şu anda bile Hristiyanlar, Tanrı'nın ailesine evlat edinilmiş olmanın ve O'nunla barışmanın ne demek olduğunu biliyorlar. Hatta

Pavlus, Tanrı'nın gözünde şimdiden Mesih'le birlikte diriltilip göksel yerlerde oturtulduğumuzu söylemektedir (Ef. 2:6). Bu harika bir şekilde umut veren bir gerçektir. Ama anlamamız gereken ve en az bunun kadar önemli olan başka bir şey daha var.

HENÜZ TAMAMLANMAMIŞ OLAN BİR EGEMENLİK

Üçüncü olarak, Tanrı'nın egemenliği henüz tamamlanmış değildir ve Kral İsa dönene dek de tamamlanmayacaktır. Kötülüğün güçlerini yenmek adına yaptığı her şeye rağmen, İsa, henüz Tanrı'nın hükümdarlığını tam anlamıyla kurmuş değildir. Kötülük yenildi, ancak tamamen yok edilmedi ve Tanrı'nın egemenliği ortaya çıktı, ancak tam ve son şeklini almadı.

İsa, gelecekte egemenliğin tamamlanacağı bir günden bahsetmiştir. O gün, "İnsanoğlu meleklerini gönderecek, onlar da insanları günaha düşüren her şeyi, kötülük yapan herkesi O'nun egemenliğinden toplayıp kızgın fırına atacaklar... Doğru kişiler o zaman Babaları'nın egemenliğinde güneş gibi parlayacaklar" (Mat. 13:41-43). Ayrıca İsa, öğrencileriyle yediği son akşam yemeği sırasında, asmanın ürününden tekrar içeceği o zamanla ilgili şöyle diyor: "Size şunu söyleyeyim, Babam'ın egemenliğinde sizinle birlikte yenisini içeceğim o güne dek, asmanın bu ürününden bir daha içmeyeceğim" (Mat. 26:29).

Pavlus da aynı şekilde ölülerin sonsuzluktaki dirilişini dört gözle beklemekte (1. Korintliler 15) ve Efeslilere, Kutsal Ruh'la mühürlendiklerini söylemektedir: "Ruh, Tanrı'nın yüceliğinin övülmesi için *Tanrı'ya ait olanların kurtuluşuna dek* mirasımızın güvencesidir" (Ef. 1:14). Daha sonra da Tanrı'nın bizi kurtarma nedeninin, "Mesih İsa'da bize gösterdiği iyilikle, lütfunun sonsuz zenginliğini gelecek çağlarda sergilemek" olduğunu söyler (Ef. 2:7). Petrus da "zaman sona ererken açığa çıkarılmaya hazır olan kurtuluş"tan bahseder (1. Pet. 1:5) ve İbraniler mektubunun yazarı da okuyucularına, "yeryüzünde yabancı ve konuk" olduklarını (İbr. 11:13) ve "mimarı ve kurucusu Tanrı olan temelli kenti" dört gözle beklemelerini söylemektedir (10. ayet).

Hristiyanların sahip oldukları büyük umut, özlemle beklediğimiz ve güç ve cesaret bulduğumuz şey, Kralımız'ın gökleri yararak geleceği ve görkemli egemenliğini sonsuza dek kuracağı o gündür. Bu yüce an dünyada her şeyin düzeltileceği, adaletin sağlanacağı, kötülüğün sonsuza dek yok edileceği ve doğruluğun kurulacağı andır. Tanrı şöyle vaat ediyor:

> Çünkü bakın, yeni bir yeryüzü,
> Yeni bir gök yaratmak üzereyim;
> Geçmiştekiler anılmayacak, akla bile gelmeyecek.
> Yaratacaklarımla sonsuza dek sevinip coşun;
> Çünkü Yeruşalim'i coşku,
> Halkını sevinç kaynağı olarak yaratacağım.
> Yeruşalim için sevinecek,
> Halkım için coşacağım.
> Orada ağlayış ve feryat duyulmayacak artık.
> (Yeş. 65:17-19)

Ve o gün, peygamber şöyle olacağını söylüyor:

> Kutsal dağımın hiçbir yerinde
> Kimse zarar vermeyecek, yok etmeyecek.
> Çünkü sular denizi nasıl dolduruyorsa,
> Dünya da RAB'bin bilgisiyle dolacak. (Yeş. 11:9)

Çocukken, bir Hristiyan'ın kaderinin bir ruh olarak sonsuza dek kilise hizmeti yapmak olduğunu düşünürdüm. Bu korkutucu bir düşünceydi! Ama tamamen yanlıştı. Tanrı kendi halkı için günahtan, ölümden ve hastalıktan tamamıyla arınmış olan yeni bir dünya yaratmayı amaçlıyor. Savaşlar bitecek, zulümler dinecek ve Tanrı sonsuza kadar halkıyla birlikte yaşayacak. Tanrı'nın halkı bir daha asla acı yüzü görmeyecek ve bir mezarın başında gözyaşı dökmeyecek. Artık bir bebek asla birkaç gün yaşayıp ölmeyecek. Asla yas tutmayacak, acı çekmeyecek ve ağlamayacağız. Asla yuva özlemi çekmeyeceğiz. Vahiy kitabında da denildiği gibi, Tanrı bizzat gözlerimizden bütün yaşları silecek ve sonunda O'nun yüzünü göreceğiz!

Gerçekten, böyle bir şey karşısında ne diyebilirsiniz ki? Bence tek bir şey: Ya Rab İsa, tez gel!

İnsanlar Tanrı'nın bu vaatlerinden bahsedip -yeni gök ve yeni yeryüzü, hiçbir kötülüğün giremeyeceği göksel kent, ölümün, savaşların ve zulümlerin olmadığı bir dünya ve Tanrı'nın yüzünü görerek sevinç içerisinde yaşayan dirilmiş halk- sonrasında, "Haydi, gidip bunları gerçekleştirelim!" demeleri beni her zaman biraz şaşırtır.

Gerçek şu ki, biz insanlar Tanrı'nın egemenliğinin kurulmasını ve tamamlanmasını herhangi bir şekilde sağlayamayız. Dünyayı daha iyi bir yer yapmak için elimizden gelen en iyi çabayı göstermemize rağmen, Kutsal Kitap'ta vaat edilen egemenlik, yalnızca Kral İsa'nın kendisi geri geldiğinde gerçekleşecektir.

Bunu hatırlamak birkaç sebepten dolayı çok önemli. Öncelikle bunu hatırlamak, bizi bu düşmüş dünyada yapabileceklerimiz hakkında yanlış ve yanıltıcı bir iyimserlikten korur. Hristiyanlar kesinlikle toplumda bazı değişikliklere sebep olabilirler. Bu, tarihte daha önce olmuştur ve şu anda da olduğuna ve ileride de olacağına hiç şüphem yok. Hristiyanlar daha önce bu dünya için müthiş iyi işler yapmışlardır ve hâlâ da yapabilirler (dünyaya Tanrı'yı ve İsa Mesih'i övgüyle gösteren iyilikler).

Ama bence Kutsal Kitap'ın hikâyesi, kazandığımız her sosyal ve kültürel zaferin, İsa geri dönene dek özünde asla kalıcı ve sağlam olamayacağını açıkça ortaya koyuyor. Hristiyanlar asla Tanrı'nın egemenliğini gerçekleştiremezler. Bunu ancak Tanrı'nın kendisi yapabilir. Göksel Yeruşalim, *göklerden yere iner*; yerden göğe doğru inşa edilmez.

Daha da önemlisi, egemenliğin yalnızca İsa Mesih'in dönüşüyle gerçekleşeceğini hatırlamak, umudumuzu, sevgimizi ve özlememizi olması gerektiği yere, İsa'nın kendisine yönlendirir. İnsanların gücüne, eylemlerine, yetkilerine veya hatta kendi her şeyi düzeltme çabamıza bel bağlamaktansa, bizler göklere bakıp elçi Yuhanna'yla birlikte haykırırız: "Gel, ya Rab İsa!" O'nun gelişine olan özlemimiz artmakta, O'na ettiğimiz dualar coşkuyla dolmakta ve O'na duyduğumuz sevgi derinleşmektedir. Kısacası sağlam ve doğru bir şekilde, arzumuz ve umudumuz egemenlikten ziyade, daha çok egemenliğin Kralı'nı temel almaktadır.

KRALA BİR YANIT

Dördüncü olarak, Tanrı'nın egemenliğine dahil olup olmadığımız, tamamen kişinin Kral'a verdiği yanıta bağlıdır. İsa bunu defalarca son derece açık bir şekilde dile getirmiştir. İsa birçok kez bir kişinin egemenliğe girip girmeyeceğini belirleyen şeyin, kişinin Kral'a ve mesajına verdiği yanıt olduğunu göstermiştir. Zengin genç adamla ilgili hikâyeyi düşünün. Adam, "İyi öğretmenim, sonsuz yaşama kavuşmak için ne yapmalıyım?" diye sorar. İsa en sonunda şöyle bir cevap verir: "Beni izle." Bu söz, genç adam için kendi zenginliğine olan güvenine sırtını çevirip İsa'ya iman etmek anlamına geliyordu (Mar. 10:17, 21).

Defalarca İsa, Tanrı'nın kurtulanlar ve kurtulmayanlar olmak üzere insanlığı ikiye ayıracağını söylüyor ve iki grubu birbirinden ayıran şey de, Kral İsa'ya verdikleri yanıt olacaktır. Matta 25. bölümdeki koyunlar ve keçilerle ilgili hikâyenin ana fikri budur. Son gün geldiğinde, "Gelin" veya "Çekilin önümden" durumları arasındaki farkı belirleyen şey, kişinin İsa'ya, yani O'nu temsil eden "kardeşlerine", yani halkına verdikleri yanıt olacaktır.

Elbette İsa'nın halkı olabilmemizi ilk başta mümkün kılan şey, O'nun çarmıhtaki ölümüdür. İsa hakkındaki çarpıcı gerçek buydu, kendisinin Kral olması veya bir sevgi ve merhamet krallığını başlatmış olması değil. Gerçekten bu hiç şaşırtıcı değildi. Her Yahudi bunun bir gün gerçekleşeceğini biliyordu. Asıl çarpıcı olan şey, bu kralın halkını kurtarmak için ölmesi ve beklenen Mesih'in, çarmıha gerilmiş bir Mesih olmasıydı.

Yahudiler umut içerisinde yüzyıllar boyunca onları kurtarmak için gelecek olan bir Mesih Kral beklediler. Aynı zamanda Tanrı'nın acı çekecek olan Kul'unun (Peygamber Yeşaya'nın sözleri uyarınca) gelmesini ümit ediyor ve hatta belirsiz de olsa, (Peygamber Daniel'in sözleri uyarınca) zamanın sonunda ortaya çıkacak olan ilahi bir "insanoğlu"nu bekliyorlardı. Ama hayal edemedikleri şey, bu üç kişinin de aynı kişi çıkmasıydı! Daha önce hiç kimse, en azından İsa'ya dek, bu üçünü bir araya getirmemişti.

Ancak İsa, kendisini yalnızca İsraillilerin umutla beklediği Mesih (yani Kral) olarak ilan etmekle kalmamış, aynı zamanda kendisinden devamlı Daniel 7. bölümdeki ilahi "insanoğlu" olarak bahsetmiştir. Dahası İsa, İnsanoğlu'nun "hizmet edilmeye değil, hizmet etmeye ve canını birçokları için fidye olarak vermeye" geldiğini söylemiştir (Mar. 10: 45) ve bu, şüphe götürmez bir şekilde Yeşaya 53:10'daki Acı Çeken Kul'a bir göndermedir.

İsa'nın burada ne iddia etmekte olduğunu görüyor musunuz? O, kendisinin bütün o umutların ve vaatlerin karşılığı, Davut'un soyundan gelen Mesih, Yeşaya'daki Acı Çeken Kul ve Daniel'deki İnsanoğlu olduğunu söylüyordu! İsa, İnsanoğlu'nun ilahi (tanrısal) özünü almış, bunu Kul'un insanlar yerine acı çekmesiyle birleştirmiş ve en sonunda da bunların hepsini Mesih rolünde bir araya getirmişti. İsa, Yahudi halkının bütün umutlarını kendisinde birleştirdiğinde, beklenen Kral artık umut edildiği gibi dünyasal bir devrim gerçekleştirecek bir adamdan çok daha fazlasıydı. O, halkının kurtuluşu için acı çekecek ve ölecek, Baba Tanrı'nın gözünde onları aklayacak ve onları görkemli bir şekilde kendi egemenliğine getirecek olan ilahi Hizmetkâr-Kral'dı.

Tüm bunların ışığında, İsa'nın kendi egemenliğine girmeyi, sadece ve sadece tövbe edip kendisine iman etmeye ve çarmıhtaki aklayan ölümüne iman etmeye bağlaması hiç de şaşırtıcı değildir. İsa "Egemenlik Müjdesi"nden bahsettiğinde, burada kastettiği şey yalnızca bu egemenliğin gelmiş olduğu değildir. İsa'nın kastettiği şey şudur: Tanrı'nın egemenliği gelmiş bulunmaktadır *ve* sizler bu egemenliğe, ancak ve ancak *Bana*, Kral'a imanla bağlıysanız, yalnızca benim sizi günahınızdan kurtarabileceğime iman ediyorsanız dahil olabilirsiniz.

Dolayısıyla, Mesih'in egemenliğinin bir vatandaşı olmak, sadece "egemenlik hayatı sürme" veya "İsa'yı takip etmek" ya da "İsa'nın yaşadığı şekilde yaşama" meselesi değildir. Gerçek şu ki, bir kişi kendisinin bir "İsa takipçisi" veya "egemenlik hayatı yaşayan birisi" olduğunu söyleyip aslında hâlâ daha bu egemenliğin dışında olabilir. İstediğiniz kadar

İsa'nın yaşadığı şekilde yaşayabilirsiniz. Ama tövbe ve imanla çarmıhtaki Kral'a gelmiyor ve günahlarınız için sunulan kusursuz kurban olarak ve kurtuluş için tek umudunuz olarak O'na bel bağlamıyorsanız, ne bir Hristiyan'sınız ne de egemenliğin bir vatandaşı.

Mesih'in egemenliğine dahil olmanın tek yolu Kral'a gelmektir. Ayrıca bu yolda O'nu yalnızca iyi bir yaşam rehberi olarak görmemeli, ölüm cezanızın, yalnızca çarmıha gerilmiş ve dirilmiş olan bu Rab tarafından kaldırılabileceğine güvenmelisiniz. Günün sonunda egemenliğe giden tek yol, Kral'ın kanından geçmektedir.

KRAL İÇİN YAŞAMAYA ÇAĞRI

Beşinci olarak, egemenliğin bir vatandaşı olmak, egemenliğe yaraşır bir hayata çağrılmak demektir. Romalılar 6. bölümde Pavlus bütün Hristiyanlara, günahın hükümranlığından kurtulduklarını ve Tanrı'nın egemenliğine getirildiklerini görmeleri çağrısında bulunur:

> Baba'nın yüceliği sayesinde Mesih nasıl ölümden dirildiyse, biz de yeni bir yaşam sürmek üzere vaftiz yoluyla O'nunla birlikte ölüme gömüldük. Eğer O'nunkine benzer bir ölümde O'nunla birleştiysek, O'nunkine benzer bir dirilişte de O'nunla birleşeceğiz. Artık günaha kölelik etmeyelim diye, günahlı varlığımızın ortadan kaldırılması için eski yaradılışımızın Mesih'le birlikte çarmıha gerildiğini biliriz. Çünkü ölmüş kişi günahtan özgür kılınmıştır. Mesih'le birlikte ölmüşsek, O'nunla birlikte yaşayacağımıza da inanıyoruz. Çünkü Mesih'in ölümden dirilmiş olduğunu ve bir daha ölmeyeceğini, ölümün artık O'nun üzerinde egemenlik sürmeyeceğini biliyoruz. O'nun ölümü günaha karşılık ilk ve son ölüm olmuştur.

> Sürmekte olduğu yaşamı ise Tanrı için sürmektedir. Siz de böylece kendinizi günah karşısında ölü, Mesih İsa'da Tanrı karşısında diri sayın. (Rom. 6:4-11)

İman aracılığıyla Tanrı egemenliğine girdiğimizde, Kutsal Ruh bize yeni bir yaşam verir. Yeni bir krallığın vatandaşları haline gelir ve yeni bir Kral'a tabii oluruz. Bundan dolayı, artık bu Kral'a itaat etmekle, O'nu yücelten bir yaşam sürmekle yükümlüyüzdür. Pavlus bu yüzden şunları söyler:

> Bu nedenle bedenin tutkularına uymamak için günahın ölümlü bedenlerinizde egemenlik sürmesine izin vermeyin. Bedeninizin üyelerini haksızlığa araç ederek günaha sunmayın. Ölümden dirilenler gibi kendinizi Tanrı'ya adayın; bedeninizin üyelerini doğruluk araçları olarak Tanrı'ya sunun. (Rom. 6:12-13)

Mesih dönene dek, O'nun halkı olarak bizler bu günahlı çağda yaşamaya devam edeceğiz. Kralımız bizi kendi egemenliğine yaraşır bir şekilde yaşamaya (1. Sel. 2:12) ve yaşayış şeklimiz aracılığıyla eğri ve sapık bir kuşağın ortasında "evrendeki yıldızlar gibi" parlamaya çağırmıştır (Flp. 2:15). Egemenliğe dahil edilmiş olmamızın sebebi egemenliğe yaraşır bir şekilde yaşıyor olmamız falan değildir. Kral'a iman aracılığıyla bir kez egemenliğe alındığımızda, kendimizi yeni bir efendide, yeni bir yasada, yeni bir sözleşmede ve yeni bir yaşamda buluruz. Dolayısıyla da bizler egemenlik yaşamını bizzat *istemeye* başlarız.

Kutsal Kitap egemenlik yaşamının bu çağda öncelikle kilisede meydana geleceğini söyler. Daha önce bunu hiç düşündünüz mü? Kilise, Tanrı'nın egemenliğinin bu çağda görünür hale geldiği yerdir. Efesliler 3:10-11'e bakalım:

Öyle ki, Tanrı'nın çok yönlü bilgeliği, kilise aracılığıyla göksel yerlerdeki yönetimlere ve hükümranlıklara şimdiki dönemde bildirilsin. Bu, Tanrı'nın başlangıçtan beri tasarladığı ve Rabbimiz Mesih İsa'da yerine getirdiği amaca uygundu.

Kilise, Tanrı'nın kendi bilgeliğini ve Müjde'nin yüceliğini göstermek için seçtiği yerdir. Daha önce birçoklarının dediği gibi kilise, Tanrı'nın egemenliğini temsil eden bir ileri karakol gibidir. "Tanrı'nın egemenliği, kilisedir" demek doğru değildir. Önceden de değindiğimiz üzere, egemenlik bundan çok daha fazlasıdır. Ama yine de kilisenin, Tanrı'nın egemenliğinin bizlere yaşadığımız bu çağda gösterildiği yer olduğunu söylemek doğrudur.

Tanrı'nın egemenliğinin, en azından mükemmelliğe kavuşmadan önceki halinin, nasıl göründüğünü bilmek istiyor musunuz? Egemenlik yaşamının bu çağda nasıl yaşandığını görmek istiyor musunuz? Öyleyse kiliseye bakın. Tanrı'nın bilgeliği orada sergilenir. Önceden Tanrı'ya yabancı olan insanların İsa sayesinde Tanrı'yla barıştığı yer orasıdır. Orada Kutsal Ruh, yeni yaşamlar inşa etmek üzere çalışmaktadır. Tanrı'nın halkı birbirlerini sevmeyi, birbirlerinin yükünü ve acılarını taşımayı, birlikte sevinip ağlamayı ve birbirlerine günahlarını itiraf edip hesap vermeyi yine orada öğrenir. Kilise tabii ki de mükemmel değildir ama kilise, egemenlik yaşamının sürüldüğü ve kurtuluşa muhtaç olan bu perişan dünyaya karşı sergilendiği yerdir.

Karanlığın İçinde İlerlemek

Elbette Mesih'in krallığının birer vatandaşı olarak bu çağda yaşamanın bu kadar zor olmasının sebebi tam da bahsettiğimiz gibi bu perişan dünyadaki kurtuluş ihtiyacıdır.

Hristiyanlar, dünyanın gözünde birer tehdit unsurudur ve bu hep böyle olmuştur. Erken kilise dönemi zamanlarında "İsa Rab'dir!" demek, o zamanki İmparator'un yetkisini isyan ve küfürle reddetmek anlamına geliyordu ve Romalılar, Hristiyanları bunu söyledikleri için öldürdüler. Bugünse, "İsa Rab'dir" demek, çoğulculuğu reddeden, cahil ve yobaz bir söz olarak değerlendiriliyor ve dünya bize bundan dolayı hakaretler ediyor.

Kutsal Kitap'ın hiçbir yerinde, Tanrı'nın egemenliğindeki yaşamın, yani Kral'a sadık kalma çabasının, kolay olacağı söylenmemiştir. İsa zulüm görecekleri, küfürler yiyecekleri ve alay edilip öldürülecekleri konusunda kendi takipçilerini temin etmişti. Ancak tüm bunların ortasında bile, biz Hristiyanlar ilerlemeye devam ederiz çünkü Tanrı'nın huzurunda bizleri bekleyen mirasın, hayallerimizin çok ötesinde olduğunu biliriz.

J. R. R. Tolkien'ın harika eseri Yüzüklerin Efendisi'nin son kitabında, kahramanlar maceralarının en karanlık kısmına gelirler. Binlerce kilometre yol gelmişler ve artık hedefleri olan kötülük diyarına ulaşmışlardır. Ama birkaç farklı sebepten dolayı, şimdi her şey mahvolmuş gibi görünmektedir. Yine de en karanlık dakikada, kahramanlardan biri olan Sam gökyüzüne bakar. Tolkien şöyle yazmaktadır:

> Batı'da akşam göğü loş ve donuktu. Dağların en üstündeki karanlık tepelerin üzerinde, parçalanmış bulutların arkasından bakan beyaz bir yıldızın bir süre parıldadığını gördü Sam. Terk edilmiş topraklardan yukarı bakarken yıldızın güzelliği içini yaktı ama ümidi de geri geldi. Çünkü sonuç olarak Gölge'nin sadece küçük ve geçici bir şey olduğu düşüncesi berrak ve soğuk bir ışık huzmesi gibi içini delmişti: Onun erişemediği yerde ışık ve yüce bir güzellik vardı sonsuza kadar.

Bu, hikâyedeki en sevdiğim anlardan biridir çünkü burada, kendisi de Mesih'e iman ettiğini söyleyen Tolkien, bizlere karanlığın içinde ilerleyebilmek için cesaret bulacağımız kaynağı gösteriyor. Bu cesaret de umuttan geçmektedir. Bu cesaret, şu anda yaşadığımız acıların ve zulümlerin, aslında gerçekten de küçük ve geçici şeyler olduğunu ve Pavlus'un da söylediği gibi bunların hiçbirinin, Kral döndüğünde gözümüzün önüne serilecek yücelikle karşılaştırılmaya değer olmadığını bilmekten geçmektedir.

YEDİNCİ BÖLÜM

Çarmıhı Merkezde Tutmak

John Bunyan'ın Çarmıh Yolcusu kitabının bir yerinde, hikâyenin kahramanı olan Hristiyan, kendisini pek de tekin tiplere benzemeyen Şekilci ve İki Yüzlü'yle bir konuşmanın içerisinde bulur. Hristiyan gibi kendilerinin de Göksel Şehir'e gitmekte olduklarını ve daha öncesinde kendi ülkelerinden birçok kişinin oraya bu yol üzerinden gitmesinden dolayı da doğru yolda olduklarından emin olduklarını söylerler.

Tabii ki bu karakterlerin isimleri, kendileri hakkında bize bazı ipuçları vermekte. Şekilci ve İkiyüzlü, Göksel Şehir'e varamayacaklar.

Hristiyan bu iki adamı ilk gördüğünde, onlar Hristiyan'ın yürümekte olduğu dar yolun paralelinde uzanan duvarın üstünden atlamaya çalışmakla meşgullerdir. Elbette Hristiyan burada bir sorun olduğunu fark ediyor çünkü dar yola girmenin tek doğru yolunun, tövbeyi ve çarmıha gerilmiş Mesih'e imanı simgeleyen Dar Kapı'dan girmek olduğunu biliyor.

Konuya girmekten hiçbir zaman çekinmeyen Hristiyan, bu iki adamın biraz üzerine gitmeye karar verir ve sorar: "İçeriye neden yolun başındaki kapıdan girmediniz?" Adamlar hızla izah etmeye çalışarak, "Bizim halkımız içeri girmek için kapıya kadar olan yolun çok uzak bir yol olduğunu kabul ediyor. Bizim adetimiz, bu yolun kestirmesini bulup içeriye girmektir" derler. Ayrıca şunları söylerler:

> *Üstelik* mademki bu yola girdik, nasıl girdiğimizin ne önemi var? Yolun üzerindeysek yoldayız demektir. Senin de gördüğün gibi, senin kapıdan girmene ve bizim duvardan atlamamıza rağmen hepimiz aynı yol üzerindeyiz. Senin durumunun bizimkinden iyi olan tarafı ne?

Hristiyan bu adamları uyararak onlara, Göksel Şehir'e girecek herkesin kapıdan girip dar yoldan yürümeleri gerektiğini söyler ve onlara kendisine verilen, şehrin kapısından girerken gösterilmesi gereken tomarı gösterir. Şöyle der Hristiyan: "Sanırım siz bütün bu sözünü ettiklerimden yoksunsunuz. Çünkü içeriye kapıdan girmediniz."

Bunyan'ın burada göstermek istediği şey, kurtuluşa giden tek yolun Dar Kapı'dan, yani tövbe ve imandan geçtiğidir. Hristiyan yaşamının yollarında gezinmek yeterli değildir. Bir kişi kapıdan girmiyorsa, gerçek bir Hristiyan değildir.

Daha Büyük, Daha Güncel Bir Müjde mi?!

Bu eski bir öykü ama Bunyan'ın işaret etmek istediği şey bu öyküden de daha eskidir. Zamanın başlangıcından beri, insanlar Tanrı'ya kulak verip O'na itaat etmek yerine, kendilerini *kendilerince* mantıklı görünen yollarla kurtarmaya çalışmışlardır. Kurtuluşu, *Müjde*'yi Dar Kapı'dan, yani İsa Mesih'in çarmıhından bağımsız bir şekilde nasıl işlevsel hale getirebileceklerini düşünüp durmuşlardır.

Aynı şey bugün için de aynı oranda geçerlidir. Hatta kanımca, Mesih'in bedeninin günümüzde karşı karşıya olduğu en büyük tehlikelerden biri, Müjde'yi İsa'nın günahkârların yerine çarmıhta ölümünü değil de, başka şeyleri merkeze alacak bir biçimde yeniden yorumlama eğilimidir.

Bunun yapılması yönünde büyük bir baskı var ve bu baskı birçok farklı kaynaktan gelmekte. Baskının ana kaynaklarından biri, Mesih'in ölümüyle günahların bağışlandığı Müjdesi'nin bir şekilde yeterince "büyük" bir şey olmadığı yönündeki yaygın görüştür. Bu görüşe göre bu Müjde, savaş, zulüm, fakirlik ve adaletsizlik gibi sorunlara pek değinmemekte ve bir yazarın deyişiyle, dünyanın yüzleştiği gerçek problemler karşısında, "aşırı bir önem taşımamakta"dır.

Bence bu iddia tümüyle yanlıştır. Bütün bu sorunlar, kökeninde insan günahının sonucudur ve biraz daha eylemci bir duruşla, biraz daha duyarlılıkla, biraz daha "İsa'nın yaşadığı şekilde yaşayarak" bu sorunları çözebileceğimizi düşünmek, aptalcadır. Hayır, günahın icabına tam anlamıyla bakacak olan tek şey çarmıhtır ve yine yalnızca çarmıh insanların Tanrı'nın kusursuz egemenliğine girebilmesini mümkün kılar.

Ama yine de, daha "büyük" ve daha "güncel" bir Müjde bulma baskısı birçoklarını etkisi altına almıştır. Çarmıhın ikincil bir konuma getirildiği Müjde tasvirlerini tekrar tekrar bir sürü kitapta görüyoruz. Çarmıh yerine, Müjde'nin kalbinde Tanrı'nın dünyayı yeniden inşa etmesinin, bize her şeyi düzeltecek bir krallık vaat etmesinin veya toplumumuzu değiştirme yolculuğunda O'na katılmamız için bize yaptığı çağrının yattığını söylüyorlar. Detaylar ne olursa olsun, sonuç olarak her seferinde, İsa'nın günahkârlar yerine ölümü üstü kapalı olarak varsayılmakta, kenara atılmakta veya hatta (bazen kasten) göz ardı edilmektedir.

Üç Yedek Müjde

Çarmıhın merkezden çıkarılma durumu, Müjdeci Hristiyanlar arasında bana göre sessizce ve birkaç farklı şekilde gerçekleşmektedir. Son yıllarda "daha büyük ve daha iyi" olduğu iddia edilen birkaç müjde ortalıkta savunulmaktadır ve görünüşe göre her biri hatırı sayılır oranda takipçi edinmiştir. Ancak söylemem gerekir ki, çarmıhı merkezden uzaklaştırdıkları ölçüde bu "daha büyük" müjdeler, daha küçük müjdeler haline gelmiş veya Müjde olmaktan çıkmıştırlar. Size üç örnek vereyim.

"İSA RAB'DİR" DEMEK MÜJDE DEĞİLDİR

Bu "daha büyük" müjdelerin en ünlülerinden biri, iyi haberin "İsa Rab'dir" beyanından ibaret olduğu iddiasıdır. Tıpkı bir habercinin bir şehre gidip "Efendimiz Sezar'dır!" demesi gibi, Hristiyanların yapması gereken şey de, İsa'nın hüküm sürdüğünü ve şu anda bütün dünyayı kendi hakimiyeti altına alarak kendisiyle barıştırmakta olduğu müjdesini duyurmaktır.

Tabii ki de "İsa Rab'dir" beyanı, muhteşem bir şekilde doğrudur! Üstelik İsa'nın Rab olduğunu duyurmak, Müjde'nin mesajının olmazsa olmazıdır. Pavlus Romalılar 10:9'da, "İsa'nın Rab olduğunu" ağzıyla açıkça söylenenin kurtulacağını ve 1. Korintliler 12:3'te de bir kişinin yalnızca Kutsal Ruh'un aracılığıyla bu gerçeği kabul edebileceğini söyler.

Ancak "İsa Rab'dir" ifadesinin, Hristiyan Müjdesi'nin tamamı ve özü olduğunu söylemek kesinlikle yanlıştır. Erken dönemdeki Hristiyanların Müjde'yi duyurdukları sırada bundan çok daha fazlasını söylediklerini daha önce gördük. Elçilerin İşleri 2. bölümde Petrus şöyle vaaz ediyordu: "Böylelikle bütün İsrail halkı şunu kesinlikle bilsin: Tanrı, sizin çarmıha gerdiğiniz İsa'yı hem Rab hem Mesih yapmıştır" (36. ayet). Ancak bu cümlenin öncesi ve sonrası, İsa'nın rabliğinin *anlamını* tam olarak açıklamaktadır. Bunun anlamı, bu Rab'bin çarmıha gerilmiş, gömülmüş ve dirilmiş olduğu ve aynı zamanda da her şeyden öte ölümünün ve dirilişinin, O'na tövbeyle iman edecek olanların günahlarının bağışlanmasını sağlamış olduğudur. Petrus sadece İsa'nın Rab olduğunu ilan etmemiştir. O aynı zamanda bu Rab'bin, kendi halkını günaha karşı Tanrı'nın gazabından kurtarmak amacıyla, onların yerine eyleme geçtiğini söylemiştir.

Artık siz de anlamışsınızdır ki, eğer İsa'nın nasıl sadece Rab olmadığını, aynı zamanda Kurtarıcı olduğunu açıklamıyorsak, sadece "İsa Rab'dir" demek iyi bir haber değildir. Rablik, yargılama hakkını içerir ve daha önce de gördüğümüz gibi, Tanrı kötülüğü yargılama niyetindedir. Bu nedenle Rab İsa'nın geldiği haberi, Tanrı'ya ve O'nun Mesihi'ne isyan içerisindeki bir günahkâr için korkunç bir haberdir. Bu, düşmanınızın tahta geçtiği ve sizi şimdi ona karşı isyanınızdan dolayı yargılamak üzere olduğu anlamını taşır.

Bunun korkunç bir haber yerine iyi bir haber olabilmesi için, isyanınızın bağışlanmasının, Rab Olan'la barışmanızın bir yolu olmak zorundadır. Yeni Antlaşma'da gördüğümüz de işte tam olarak budur. Yapılan duyuruya baktığımızda, yalnızca İsa'nın Rab olduğunu değil, ancak bu Rab İsa'nın günahkârlar affedilebilsin ve gelen krallığın sevincine dahil olabilsinler diye çarmıhta ölmüş olduğunu görüyoruz. Bu noktalar olmadan "İsa Rab'dir" demek, bir ölüm fermanından başka bir şey değildir.

YARATILIŞ-DÜŞÜŞ-KURTULUŞ-TAMAMLANMA MODELİ MÜJDE DEĞİLDİR

Birçok Hristiyan Kutsal Kitap'ın hikâyesini şu dört ana hatta ayırmıştır: *yaratılış, düşüş, kurtuluş, tamamlanma.*

Aslında bu ana hatlar, Kutsal Kitap'ın ana noktalarını anlatmak için çok iyi bir yoldur. Tanrı dünyayı yaratır, insan günah işler, Tanrı Mesih İsa'da halkını kurtarmaya gelir ve dünya tarihi Tanrı'nın yüce egemenliğinin tamamlanacağı son güne doğru ilerler. Yaratılış kitabından Vahiy kitabına, Kutsal Kitap'ın olay örgüsünü hatırlayabilmemiz için bu harika bir yoldur. Hatta bunu doğru bir şekilde anlar ve anlatırsanız, yaratılış-düşüş-kurtuluş-tamamlanma modeli, Müjde'yi Kutsal Kitap'a sadık bir şekilde sunabilmemiz için bize iyi bir temel sağlar.

Ancak burada problem şu ki, bazıları yaratılış-düşüş-kurtuluş-tamamlanma modelini yanlış bir şekilde kullanmakta ve Müjde'nin odağını Tanrı'nın dünyayı yenileme vaadine çevirip çarmıhı geri plana atmaktadır. Dolayısıyla, yaratılış-düşüş-kurtuluş-tamamlanma Müjdesi, genellikle şuna benzer bir şekilde sunulmaktadır:

> Müjde'ye göre, Tanrı dünyayı ve içindeki her şeyi yarattı. Başlangıçta her şey çok iyiydi ama insanlar Tanrı'ya ve buyruklarına karşı geldi ve dünyayı bir kargaşa ortamı sardı. İnsanlar ve Tanrı arasındaki ve insanlarla diğer yaratılanlar arasındaki ilişki bozulmuştu, aynı zamanda kendi aralarındaki ilişki ve dünyayla olan ilişkileri de. Ama düşüşten sonra Tanrı, bir Kral göndereceğini, insanları kurtarıp kendisiyle bir daha barıştıracağını vaat etti. Bu vaat, Mesih İsa'nın gelişiyle gerçekleşmeye başlamıştır ama tam anlamıyla Kral İsa geldiğinde tamamlanacaktır.

Bu paragraftaki her şey elbette doğru ama bu söylediklerim Müjde değildir. Tıpkı "İsa Rab'dir" demenin O'na karşı isyanınızın bağışlanabilmesinin bir yolu yoksa iyi bir haber olmaması gibi, Tanrı'nın dünyayı yeniden yaratacağı gerçeği de, siz buna dahil olamadığınız sürece iyi bir haber değildir.

Tabii ki de Müjde'yi açıklarken, yaratılış-düşüş-kurtuluş-tamamlanma modelini kullanmanın hiçbir sakıncası yoktur. Hatta aslında "yaratılış" ve "düşüş" kategorileri, tam olarak "Tanrı" ve "insan" kategorilerine denk düşmektedir.

Ancak can alıcı olan nokta, "kurtuluş" kategorisinde ortaya çıkmakta. Doğru bir şekilde Müjde'yi duyurmak için, bu noktada, Tanrı'nın günahkârlar için gerekli gördüğü ölüm cezasını ve İsa'nın ölümünü ve dirilişini açıklamamız gerekiyor. Tanrı'nın dünyayı yenileyip insanları kurtaracağını söyler ama *O'nun bunu nasıl yapacağını* (İsa'nın ölüm ve dirilişi aracılığıyla) ve *kişinin bu kurtuluşa nasıl dahil olacağını* söylemezsek (tövbe ve İsa'ya iman aracılığıyla), o zaman Müjde'yi paylaşmış olmayız. Sadece Kutsal Kitap'ın ana hatlarını anlatmış ve günahkârları dışarıda camekandan bir dükkâna bakan müşteriler gibi bırakmış oluruz.

KÜLTÜREL DEĞİŞİM MÜJDE DEĞİLDİR

Hristiyanların yaptıkları aracılığıyla kültürün değişmesi, birçok müjdeci imanlının son zamanlarda önem verdiği bir konu olmuştur. Bence bu onurlu bir mücadele ve ister bireysel ister toplumsal anlamda olsun, kötülükle mücadele etmek Kutsal Kitap'a uygun bir mücadeledir. Pavlus bize yapmamız gerekeni şöyle iletir:

> "Bunun için fırsatımız varken herkese, özellikle iman ailesinin üyelerine iyilik yapalım" (Gal. 6:10).

İsa da bizlere, yabancılar da dahil bütün komşularımızla ilgilenmemiz ve onları sevmemiz gerektiğini söyler (Luk. 10:25-37). Yine bir başka yerde İsa şöyle der:

> "Sizin ışığınız insanların önünde öyle parlasın ki, iyi işlerinizi görerek göklerdeki Babanız'ı yüceltsinler!" (Mat. 5:16).

Değişimden yana olanların birçoğu, bundan bir adım öteye gider ve "kültürü kurtarma" işinin, Kutsal Kitap'ın temeli olduğunu söylerler. Onlara göre eğer Tanrı, dünyayı yenilemekteyse, o zaman O'na bu işte katılmak, krallığın inşaatı için malzemelerin toplanmasına yardımcı olmak ve bulunduğumuz mahalle, şehir, ulus ve dünyada Tanrı'nın hükümdarlığının kurulması için önemli adımlar atmak bizlerin de görevidir. "Tanrı'nın yaptığını gördüğümüz şeyleri bizler de yapmak zorundayız" derler.

Size bu konuda ne düşündüğümü açıkça söyleyeyim. Kutsal Kitap'a ve Hristiyan teolojisine baktığımda, benim bu kültürel değişim yaklaşımıyla alakalı bazı ciddi çekincelerim var. Değişimci görüşteki bu kişilerin anlattığı gibi, Kutsal Kitap'ın kültürel değişime özel bir önem atfettiğine birkaç sebepten dolayı ikna olmuş değilim. Öncelikle bence, Yaratılış kitabında verilen toplumsal/kültürel egemenlik buyruğu sadece Tanrı halkına değil, bütün insanlığa verilmiştir. Ayrıca insanlar olarak kültürümüzün gidişatının ne Kutsal Kitap'ta ne de tarihte, Tanrı'ya doğru değil, aksine yargıya doğru olduğunu düşünüyorum (bkz. Vahiy 17-19). Bence değişimci görüştekilerin çoğundaki bu "dünyayı değiştirme" ihtimalimize yönelik iyimser bakış, yanıltıcıdır ve bu yüzden de sonunda hayal kırıklığına sebep olacaktır.

Ancak tüm bunlar tabii ki kendi başına ciddi bir Kutsal Kitap-teoloji tartışmasıdır ve bizim buradaki asıl amacımız bu değil. Ben şahsen hem değişimden yana olup hem de İsa'nın çarmıhını Kutsal Kitap'ın ve Müjde'nin merkezinde tutmanın mümkün olduğunu düşünüyorum. Sonuçta değişim yolunda Tanrı'nın kullanacağı kişiler, O'nun *bağışlanmış* ve *kurtarılmış* olan halkıdır ve bu bağışlanma ve kurtuluş, yalnızca çarmıh aracılığıyla gerçekleşir.

Benim buradaki asıl endişemi, birçok değişim yanlısı müjdeci Hristiyan'ın tüm kalbiyle kabul edeceğini umuyorum. Benim endişem, sıklıkla bu kişilerden bazılarının, kültürel kurtuluşu Müjde'nin en yüce vaadi ve ana fikri haline getirmeleridir. Nitekim bunun yolu da bilerek veya bilmeyerek, çarmıhı bir şekilde dışarıda tutmaktan geçer. Kültürel değişimi daha çok göze sokmak isteyen bir sürü kitapta durumun böyle olduğunu görebilirsiniz.

En büyük heyecanları ve sevinçleri Mesih'in çarmıhtaki eyleminden değil, kültürel değişim vaadinden kaynaklanmaktadır. Yine en cezbedici gördükleri nokta tövbe edip İsa'ya iman etmek değil, Tanrı'nın dünyayı değiştirme işine ortak olmaktır. Dediklerine göre Kutsal Kitap'ın hikâyesinin zirve noktası İsa'nın yerimize ölmesi değil, dünyanın yenilenmesidir.

Bu süreçte de Hristiyanlığın lütufla ve imanla olan alakası azalmakta ve Hristiyanlık, "Böyle yaşayın ve biz bu şekilde dünyayı değiştireceğiz" şeklinde basmakalıp bir din haline gelmektedir. Bu Hristiyanlık değil, töreciliktir.

Sürçme Taşı ve Saçmalık

Günün sonunda, acaba çarmıhı ilk fırsatta Müjde'nin merkezinden çıkarıp atma dürtüsü dünyanın çarmıhı sevmediği gerçeğinden mi kaynaklanıyor diye merak ediyorum. Karşımıza çıkan iyi senaryoda insanlar bunun bir tür peri masalı olduğunu ve en kötüsünde de canavarca bir yalan olduğunu düşünüyorlar. Bu gerçekten bizi şaşırtmamalı. Pavlus bize böyle olacağını söylemişti. O, çarmıhın mesajının bazılarına bir sürçme taşı, diğerlerine ise saçmalık olacağını söylemişti!

Bir de dünyayı gerçekten Müjde'ye çekme *isteğimizi* düşününce, sonuç olarak Hristiyanlar büyük bir baskı altında kalarak, bu "kanlı çarmıh dini" hakkında pek fazla konuşmalarını gerektirmeyecek seçenekler bulmaya çalışıyorlar. Sonuçta bizler insanların Müjde'yle alay etmesini değil, onu kabul etmesini istiyoruz değil mi?

Ama bununla bir şekilde yüzleşmemiz gerekiyor. Müjde'nin mesajı, çevremizdeki insanlara saçma gelecektir. Bu mesaj, biz Hristiyanları aptal gibi gösterecek ve Hristiyan olmayanlarla "ilişki" kurabilme ve onlara en az diğerleri kadar havalı ve zararsız olduğumuzu kanıtlama konusunda işimizi kesinlikle zorlaştıracaktır. Hristiyanlar, çarmıhta ölmüş bir adam tarafından kurtarıldıklarını söyleyinceye dek, dünyanın gözünde havalı olabilirler. Ancak bunu söyledikleri tüm o havalı halleri, bu hale gelmek için ne kadar uğraşmış olurlarsa olsunlar, buhar olur gider.

Yine de Kutsal Kitap, çarmıhın Müjde'nin merkezinde olmak *zorunda* olduğunu açıkça aktarmaktadır. Onu bir kenara itemeyiz ve ondan başka bir gerçeği, iyi haberin kalbi, merkezi ve kaynağı olarak yerine koyamayız. Bunu yapmak, dünyaya onları kurtarmayan bir şey sunmak olur ve dolayısıyla söylenen şey, artık hiç iyi bir haber değildir.

Kutsal Kitap, bize çarmıhı Müjde'nin merkezinden çıkarmamız için yapılan herhangi bir baskı karşısında ne yapmamız gerektiğini aslında açıkça söylemektedir. Direnip karşı koymalıyız. Pavlus'un 1. Korintliler'de ne dediğine bakın. Pavlus, çarmıh mesajının çevresindeki insanlara en fazla delice geleceğini biliyordu. Onların çarmıhtan dolayı Müjde'yi reddedeceğini, bundan iğreneceklerini biliyordu. Ama bu kati reddediliş karşısında bile şöyle dedi: "Biz çarmıha gerilmiş Mesih'i duyuruyoruz" (1. Kor. 1:23). Hatta dahası, "*İsa Mesih'ten ve O'nun çarmıha gerilişinden başka hiçbir şey* bilmemeye" kararlıydı (1. Kor. 2:2). Çünkü mektubun sonunda da yazdığı gibi çarmıh gerçeği, yani "Kutsal Yazılar uyarınca Mesih günahlarımıza karşılık öldü" gerçeği sadece önemli değildi veya *çok* önemli de değildi. "*En* öncelikli" şeydi (1. Kor. 15:3).

Peki ya bu durum dünyanın alay etmesine sebep olursa? Ya dünya, günahkârların yerine ölen Mesih'in Müjdesi yerine, dünyanın yenilenmesini vurgulayan bir müjdeye daha olumlu tepki verirse? Ya insanlar Müjde'ye, çarmıhta ölen bir adamla alakalı olduğu için gülerse? Olsun, diyor Pavlus. Ben çarmıhı vaaz ediyorum. Onlar bunun gülünç olduğunu düşünebilirler, aptalca olduğunu düşünebilirler. Oysa ben biliyorum ki, "Tanrı'nın 'saçmalığı' insan bilgeliğinden daha üstün"dür (1. Kor. 1:25).

Pavlus, vaaz ettiği Müjde'nin merkezinde çarmıh olduğundan emin oldu ve bizler de böyle yapmalıyız. Eğer merkezde başka bir şeyin olmasına izin verirsek, şunu söylüyor oluruz: "Gel, sana o duvarın üstünden atlaman için yardımcı olayım. Bana güven. Bir sorun çıkmayacak."

SEKİZİNCİ BÖLÜM

Müjde'nin Gücü

Üniversiteden mezun olmadan hemen önce, en iyi iki arkadaşımla beraber Teksas'ın doğusunda bulunan memleketimizden Yellowstone Ulusal Parkı'na bir gezi yapmaya karar verdik. Harika bir geziydi. Sanki erişkin yaşa gelmiş üç kişinin, yetişkinliğe geçişlerini böyle bir geziye atılarak kutlaması gibi bir şeydi.

Hayal edebileceğiniz üzere, yolculuğumuz harika dağlar, gayzerler, ılıcalar ve çok ama çok geyik görerek geçti. Bir sabah, birlikte o günü bir dağ yürüyüşü yaparak geçirmeye karar verdik ve eğlence olsun diye, yanımıza harita falan almamakta anlaştık. Patikalar nereye götürüyorsa, oraya gidelim istemiştik. Yanımıza biraz öğle yemeği aldık, cep telefonlarımızı çantamıza koyduk ve yola koyulduk.

Uzun bir yürüyüştü. Bir süre sonra, o kadar yol geldiğimizi ama bu Yellowstone Parkı'nın doğu Teksas'taki büyüdüğümüz yerlerin ormanlarından pek de farkı olmadığını söyleyerek şakalaşmaya başlamıştık. Her tarafımızda dev çam ağaçları vardı ve arada bir derelerden atlayarak geçmemiz gerekiyordu. Çok da görülecek bir şey yoktu ve sinirler biraz bozulmaya başlamıştı.

Ama sonra aniden, hiçbirimiz daha ne olup bittiğini bile anlayamadan, orman sona erdi ve kendimizi Yellowstone Büyük Kanyonu'nun karşısında bulduk. Altımızda kilometrelerce uzanan inanılmaz bir yarık, toprağın derinliklerine doğru ilerliyordu. Kanyonun dibinden bir nehir akıyor ve su akarken, üzerinden güneş parlıyordu. Kuşlar altımızdan uçuşuyordu ve kanyonun yarattığı cereyandan olsa gerek, alçak bulutların üstümüzden hızla geçtiğini görebiliyorduk.

Altımda uzayıp giden enginliğe ve üstümdeki göğe bakarken, kendimi ne kadar da inanılmaz bir şekilde küçük hissetmiştim... Birkaç dakika boyunca üçümüzün de, o gün ilk defa dili tutulmuştu. Arkadaşlarımdan biri ezgiler söylemeye başladı:

> Ey Rab Tanrım, hayranlık ve hayret içinde ben
> Ellerinin yarattığı dünyaları düşünürken...[4]

Rab biliyor, arkadaşım iyi bir şarkıcı değildi ama yüreği tam da olması gereken yerdeydi! Takip eden birkaç dakika boyunca, Yellowstone Büyük Kanyonu'nun kenarında durduk ve insanda huşu uyandıran bu harika şaheseri yaratan Tanrı'yı yücelttik.

Durup bir düşünürsek, bence Müjde de üzerimizde aynı çarpıcı etkiyi yapacaktır. Dünyanın işlerinden kafanızı kaldırıp Tanrı'nın Müjde'de bizler için yaptığı şeyle en son ne zaman yüz yüze geldiniz? Dünyanın işlerinden kafanızı kaldırıp Tanrı'nın Müjde'de bizler için yaptığı şeylerin Büyük Kanyonu'yla en son ne zaman yüz yüze geldiniz? Kendisine isyan etmiş olan insanları kurtararak sergilediği o akıl almaz lütfa en son ne zaman baktınız? O'nun nefes kesen tasarısına en son ne zaman baktınız? Kendi tasarısı uyarınca Tanrı, insanların yerine acı çekip ölmesi için kendi Oğlu'nu gönderdi.

O'nu dirilerek tahtını bir kusursuz doğruluk krallığı üzerine kurması ve kendi kanıyla kurtarılıp özgürlüğe kavuş-

4 "How Great Thou Art," Stuart K. Hine, 1949; "O Store Gud" şiirinden uyarlanmıştır, Carl G. Boberg, 1886.

turulanları günah ve kötülüğün sonsuza kadar fethedildiği yeni gök ve yeni yeryüzüne getirmesi için gönderdi!

Nasıl oluyor da Müjde'nin güzelliğinin, gücünün ve enginliğinin aklımdan sık sık bu kadar uzun süre boyunca çıkmasına izin veriyorum? Neden düşüncelerimin çoğunu bu yüce gerçekler yerine, arabam bugün temiz mi, CNN'de bugün ne var veya bugün öğle yemeği güzel miydi gibi saçma şeyler oluşturuyor? Neden yaşamımı gözden geçirip düzenlerken, olaylara sonsuzluğun ışığında bakmak yerine, bir çift at gözlüğü takmış gibi davranıyorum? Neden bu Müjde her zaman hayatımın en küçük detayına kadar, eşimle ve çocuklarımla, iş arkadaşlarımla ve dostlarımla ve kilise üyeleriyle olan ilişkilerime kadar nüfuz etmiyor?

Nedenini çok iyi biliyorum. Çünkü ben bir günahkârım ve dünyasallık, İsa geri gelene dek yüreğimde bir yerlerde kalacak ve bana karşı savaşacak. Ama O gelene dek, ben buna karşı savaşmak istiyorum. Ruhsal tembelliğe karşı, dünyanın beni her an içine çekmekle tehdit ettiği bu uyuşukluğa karşı savaşmak istiyorum. Bu Müjde'yi sıkıca kucaklamayı ve O'nun her şeyimi -eylemlerimi, sevgimi, duygularımı, arzularımı, düşüncelerimi ve iradem- etkilemesini istiyorum.

Umarım bunu siz de istiyorsunuzdur ve umarım bu küçük kitap, ağaçların biraz aralanmasını ve kanyonda Tanrı'nın, İsa aracılığıyla sizin için yaptığı büyük işleri biraz daha iyi görmenizi sağlamıştır. Peki şimdi ne yapmalı? Burada bahsetmeyeceğim milyon tane farklı şey yanında, İsa'nın iyi haberinin hayatlarımızı nasıl etkilemesi gerektiği hakkında birkaç şeye değinmeme izin verin.

Tövbe Edin ve İnanın

Öncelikle, eğer Hristiyan değilseniz, kitabı buraya kadar okuduğunuz için teşekkür ederim. Umarım İsa hakkındaki Müjde'yle ilgili düşünme fırsatını değerlendirmişsinizdir ve bunun aklınızda daha derinlere yerleşmiş olması için dua ediyorum. "Şimdi ne yapmalı?" sorusunun cevabı, sizin için bence çok basit. Yapmanız gereken milyonlarca şey yok. Bir şey var: günahlarınızdan tövbe edin ve İsa'ya inanın. Bu, ruhsal olarak iflas içerisinde olduğunuzu kabul etmek, kendinizi kurtarabilme yetisinden tamamen yoksun olduğunuzu anlamak ve bağışlanıp Tanrı önünde aklanmak için tek umudunuz olarak İsa'ya gelmek demektir.

Hristiyan olmak zahmetli bir süreç değildir. Didinip kazanmanız gereken bir şey yoktur. İsa ihtiyacınız olan her şeyi zaten kazanmıştır. Müjde'nin size olan çağrısı, yüreğinizi günahtan uzaklaştırmanız ve imanla, yani güvenle İsa'ya çevirmenizdir. Sizi O'na gelip şöyle demeye çağırmaktadır: "İsa, kendimi kurtaramayacağımı biliyorum ve bu yüzden bunu senin yapacağına güveniyorum."

Böylece önünüzde yepyeni bir ufuk açılır. Ama bunların hepsinin başlangıcı günahlardan tövbe etmek ve kurtuluş için İsa'ya güvenmektir.

Rahatlayın ve Sevinin

Eğer bir Hristiyan'sanız, o halde Müjde sizi önce İsa Mesih'te rahatlamaya ve sonra da O'nun sizler için kazandığı bu yitirilmez kurtuluşla sevinmeye çağırmaktadır. İsa'dan dolayı ve O'na iman aracılığıyla bağlı olduğumu bildiğimden dolayı, artık kurtuluşumun bir şekilde kırılgan veya geçici olduğunu düşünme ayartısına karşı savaşabilirim. Bu ayartıyı zaman zaman hissetsem bile, kafamda gezinip duran tüm sorulara rağmen yüreğimin derinliklerinde, İsa'ya ait olduğumu ve hiç kimsenin beni O'nun elinden alamayacağını biliyorum. Çünkü Müjde, bana Tanrı önündeki doğru ilan edilişimin bir tür ruhsal tombalaya bağlı olmadığını söylüyor. Yeterince meyve verdim mi? Birinci çinko! Kutsal Kitap'la sessiz zaman geçirdim mi? İkinci çinko! Ruhsal sohbetler yaptım mı? Bir, iki, üç! Harika, tombala! Bugün kendimi *gerçekten* kurtulmuş hissediyorum!

Müjde'nin İsa hakkında söyledikleri ışığında, bunlar ne kadar da gülünç! Tanrı'ya şükürler olsun ki, O'nunla olan ilişkim benim dönek irademe veya doğru bir şekilde yaşama kabiliyetime bağlı değil. Hayır, Tanrı benim hakkımdaki hükmünü zaten vermiştir ve bu, "AFFEDİLDİ!" hükmüdür. Dahası, bu hüküm asla ve asla değişmeyecektir çünkü hükmün temelinde yalnızca ve yalnızca İsa vardır. O'nun çarmıhta benim yerime ölmesi ve şu anda bile Tanrı'nın tahtı önünde beni savunması vardır.

Eğer bir Hristiyan'sanız, o halde İsa'nın çarmıhı yaşamınız boyunca uzanan sağlam bir dağ gibi, Tanrı'nın size olan sevgisine ve sizi güvenle kendi huzuruna getirme konusundaki kararlılığına tanıklık eder. Pavlus'un Romalılar'da dediği gibi: "Tanrı bizden yanaysa, kim bize karşı olabilir? Öz Oğlu'nu bile esirgemeyip O'nu hepimiz için ölüme teslim eden Tanrı, O'nunla birlikte bize her şeyi bağışlamayacak mı?" (Rom. 8:31-32).

Mesih'in Halkını Sevin

Ayrıca, sevgili Hristiyan, Müjde seni Tanrı'nın halkını, kiliseyi, daha derinden ve daha canlı bir şekilde sevmeye yönlendirmelidir. Hristiyanlar olarak hiçbirimiz, Tanrı'nın bizler için saklı tuttuğu mirası kendi gücümüzle kazanmadık. Bizler kendi kendimize egemenliğin vatandaşları olmadık. Tanrı'nın vaatlerine ortak olmamızın tek sebebi, İsa Mesih'in bizi kurtaracağına güvendiğimizi ve O'na imanla bağlı olduğumuzu bilmemizdir.

Ama buradaki asıl nokta şimdi geliyor. Kilisede canınızı sıkan o kardeş için de aynılarının geçerli olduğunu fark ediyor musunuz? O kardeş de sizinle aynı Rab'bi seviyor ve aynı Rab'be iman ediyor. Dahası, o kardeş de sizi kurtarıp bağışlayan Rab'bin ta kendisi tarafından kurtarıldı ve bağışlandı. Pek uyuşmadığınızı düşündüğünüz için tanımaya pek yanaşmadığınız o kardeşi düşünün. İlişkinizin bozulduğu ve aranızdaki ilişkiyi düzeltmeyi reddettiğiniz o kişiyi düşünün. Şimdi o kişinin de sizinle aynı Rab'be güvendiğini hatırlayın. Sizin için ölen Rab'bin, bizzat o kişi için de öldüğünü hatırlayın.

Merak ediyorum, İsa Mesih'in Müjdesi'ne ilişkin anlayışınız -hak etmediğiniz halde İsa'nın sizi kurtarmış olduğu Müjdesi- diğer kardeşlerden gelecek küçük eleştirileri kabul edebilecek kadar derin mi? Size karşı yapılanları, en ağırlarını bile affedebilecek kadar derin mi? Sizi tıpkı İsa'nın yaptığı gibi onları affetmeye ve sevmeye yönlendiriyor mu?

Tanrı'nın sevgisinin enginliği, sizin de başkalarına olan sevginizi artırdı mı diye merak ediyorum.

Müjde'yi Dünyaya Duyurun

Tek merak ettiğim şey bunlar değil. Acaba aynı zamanda Tanrı'nın lütfu çevrenizdeki dünyayı daha çok sevmenize ve insanların İsa'yı tanımalarını ve O'na iman etmelerini yürekten arzulamanıza sebep oldu mu? Eğer Tanrı'nın bize gösterdiği lütfu gerçekten anlarsak, yüreklerimiz de bu lütfu başkalarında görmek adına yanıp tutuşacaktır.

Dirilişinden sonra İsa, öğrencilerine görünerek şöyle dedi: "Şöyle yazılmıştır: Mesih acı çekecek ve üçüncü gün ölümden dirilecek; günahların bağışlanması için tövbe çağrısı da

Yeruşalim'den başlayarak bütün uluslara O'nun adıyla duyurulacak." İşte, Tanrı'nın kendisi için bir halk seçip kurtarma tasarısı, açıkça öğrencilerin gözleri önüne serilmişti. İsa şu muazzam şeyi de sözlerine ekledi: "Sizler bu olayların tanıklarısınız" (Luk. 24:46-48). Bunu duyduklarında öğrencilerin yüzleri bembeyaz olmuş olmalı! Tanrı'nın amacı dünyanın kurtulmasıydı ve İsa onlara bu amacın, *onlar aracılığıyla* gerçekleşeceğini söylüyordu!

Sizi bilmiyorum ama ben bunu düşününce, kendimi inanılmaz derecede yetersiz hissediyorum. Tanrı yeryüzündeki amacını gerçekleştirmek için *bizleri* mi kullanmak istiyor? Harika! Ancak eğer siz de kendinizi değersiz ve yetersiz hissediyorsanız, sizi teşvik edecek bir şey söyleyeyim. *Siz* değersizsiniz ve kesinlikle yetersizsiniz! Nasıl ama? Tam teşvik oldu değil mi? Kendimize bakalım. Bizler hayatımızın her gününde günaha karşı mücadele eden zayıf, güçsüz insanlarız. Yine de İsa bizlere, "dünyanın dört bucağında benim tanıklarım olacaksınız" diyor. Her ne şekilde olursa olsun – belki vaazlar veya öğretişler aracılığıyla ya da dostlarımızla, aile bireylerimizle ve iş arkadaşlarımızla yaptığımız yemek sohbetleri aracılığıyla– Tanrı günahkârları bizim Müjde'yi duyurmamız yoluyla kurtarmaya karar vermiştir.

Elçilerin İşleri 10. bölümde, Kornelius'la konuşan meleğin neden ona Müjde'yi anlatmadığını hiç merak ettiniz mi? Neden Kornelius'u başka bir şehirde bulunan Petrus'a göndermekle uğraşmıştı ki? Sonuçta onu Petrus'a gönderen melek, pekâlâ orada Kornelius'la Müjde'yi paylaşabilirdi! Ama hayır, Tanrı, Müjde'nin kendi halkı aracılığıyla ilerlemesine karar vermiştir. Bu ilerleme, İsa'yla ilgili iyi haberi kucaklayan ve affedilmenin yalnız O'ndan geldiğini bilen halkının ağzından çıkan sözler aracılığıyla olacaktır.

Eğer bir Hristiyan'sanız, dünyanın duyup duyacağı tek gerçek kurtuluş mesajını ellerinizde tuttuğunuzun farkına varın. Hiçbir zaman başka bir Müjde olmayacak ve insanlar için günahtan kurtulmanın başka bir yolu yoktur. Eğer dostlarınız, aileniz ve iş arkadaşlarınız günahlarından kurtulacaklarsa, bunun sebebi birinin İsa Mesih'in Müjdesi'ni onlara duyurması olacak. İsa bizlere dünyanın her yerine gidip uluslara Müjde'yi duyurma görevini bu yüzden veriyor. Pavlus'un Romalılar 10. bölümde kastettiği de budur: "Duymadıkları kişiye nasıl iman edecekler? Tanrı sözünü yayan olmazsa, nasıl duyacaklar? (14. ayet). Hristiyanlar olarak yapabileceğimiz bir sürü iyi şey var ama şu bir gerçek ki, bu iyi işlerin birçoğu Hristiyan olmayanlar tarafından da severek yapılmakta. Ama bizler Hristiyanlar olarak İsa Mesih'in Müjdesi'ni duyurmakta başarısız olursak, başka kim duyuracak? Hiç kimse. Dolayısıyla Müjde'nin gerçekleri, yüreklerinize derinden işlesin ve hatta İsa Mesih'i tanımayanlar uğruna yüreğinizi parçalasın. Dostlarınızın, ailenizin ve iş arkadaşlarınızın, adil yargıç olan Tanrı'nın önünde İsa Mesih olmadan durmalarının ne demek olduğunu derin derin düşünün. Tanrı'nın lütfunun sizin yaşamınızda neler yaptığını hatırlayın ve onların hayatlarında neler yapabileceğini düşünün. Sonra derin bir nefes alın ve Kutsal Ruh'un işlemesi ve dudaklarınız aracılığıyla konuşması için dua edin!

O'nu Özleyin

Son olarak Müjde, bizim Kral İsa'nın döneceği ve sonsuza dek egemenliğini kuracağı günü özlemle beklememize neden olmalıdır. Bu özlem, sadece artık egemenliğin içerisinde yaşayacak olmanın özlemi değildir. İsa'nın dönüşüne özlem duyma sebebimiz, sadece kötülüğün olmadığı ve adaletin hüküm süreceği bir dünyada yaşayacak olmamız değildir.

Bunlar harika vaatlerdir ama bunlar bile yeterince büyük değiller. Hayır, eğer Müjde'yi doğru anlarsak, Kral için duyduğumuz özlem, egemenlik için duyduğumuzdan daha fazla olacaktır. Müjde, bizim O'nu tanımamızı ve sevmemizi sağlamıştır ve bu yüzden O'nunla olmayı umutla bekliyoruz. İsa şöyle diyor: "Baba, bana verdiklerinin de bulunduğum yerde benimle birlikte olmalarını... istiyorum" (Yuh. 17:24). Biz de O'nunla olmayı istiyoruz ve diğer milyonlarca kişiyle beraber O'na tapınmayı arzuluyoruz.

Vahiy kitabı, Tanrı'nın O'nu seven bizler için hazırladıklarıyla ilgili harika bir sahne içerir. Bu sadece bir ipucudur ama yine de, o güçlü zafer, sevinç, rahatlama ve tamamlanma hissini, kurtulanların İsa Mesih'e tapındıkları bu sahnede hissedebilirsiniz:

> Bundan sonra gördüm ki, her ulustan, her oymaktan, her halktan, her dilden oluşan, kimsenin sayamayacağı kadar büyük bir kalabalık tahtın ve Kuzu'nun önünde duruyordu. Hepsi de birer beyaz kaftan giymişti, ellerinde hurma dalları vardı. Yüksek sesle bağırıyorlardı:
> "Kurtarış, tahtta oturan Tanrımız'a
> Ve Kuzu'ya özgüdür!" (Vah. 7:9-10)

Müjde'nin bizi özlemle beklettiği gün işte bu gündür. Her ne kadar bu dünyada denenmelere ve zulümlere maruz kaldığımız, kızdığımız, ayartılara düştüğümüz, aklımızın çelindiği, hissizleştiğimiz ve tamamen yorgun düştüğümüz zamanlar olsa da, Müjde, gözlerimizi göklere çevirmektedir. Çarmıha gerilmiş ve görkemli bir şekilde ölümden dirilmiş olan Tanrı Kuzusu, bizleri orada savunmakta ve bizler için aracılık etmektedir. Müjde sadece bununla da kalmıyor. Aynı zamanda bizleri, kurtulmuş milyonlarca insanın, çarmıha gerilmiş Kurtarıcı'ya ve dirilmiş Kral'a yükselttikleri övgü sesleriyle göklerin dolacağı o son güne davet ediyor.

TEŞEKKÜR YAZISI

Bütün kitap projelerinde olduğu gibi, bu proje için de sayısız kişiye teşekkür borçluyum. Kimse yalnız başına bir şeyler öğrenip düşünemez ve son on yıldan fazladır birlikte Müjde hakkında konuştuğum ve düşündüğüm kardeşlerin isimlerini burada saymaya kalksam, bir günümü alırdı. Ama yine de, özel olarak "teşekkürler" demek istediğim birkaç kişi var.

Öncelikle Crossway'in harika takımına, tanınmayan bir yazara şans verdikleri için teşekkür ederim. Eğer bu kitap, Rab'bin kullanıp kilisesini geliştireceği bir kitap haline geldiyse, bu sizin aracılığınızla olmuştur.

Aynı zamanda 9Marks ekibine de bu kitabı yazmamdaki teşvikleri ve bunun gerçekleşmesi yönündeki çabalarından dolayı teşekkür ederim. Matt Schmucker'in, dünyadaki bütün kiliselerin sağlıklı olması yönündeki vizyonu ve tutkusu ilham verici ve O'nu tanımaktan ve kendisiyle çalışmaktan onur duydum. Jonathan Leeman bana bu kitabı yazarken çok yardımcı oldu. Konuşmalarımız, yazışmalarımız ve yaptığı düzeltmeler aracılığıyla, bu kitabı daha iyi bir hale getirdi. Egemenlik hakkında sohbetler ederken benimle onlarca bardak latte içmiş olan Bobby Jamieson'a da teşekkür etmek istiyorum. Bu takımın bir parçası olmak ne de büyük bir sevinç!

Sevgili kardeşim Mark Dever, sana da bu kitabı yazma konusunda beni teşvik ettiğin için teşekkür ederim. Sana anlatılamayacak derecede borçluyum. Benim ruhsal anlamda akıl hocam olduğun için onur duyuyorum ve Rab beni bir müddet Washington DC'ye geri getirerek ikimizi de şaşırttığı için mutluyum. O'nun bizlere birlikte geçirdiğimiz bu zamanı bahşetmesi gerçekten büyük bir incelik.

Son olarak da beni harika bir şekilde sevip önemseyen güçlü ve güzel eşim Moriah, sana teşekkür etmek istiyorum. Teolojik bir noktaya kilitlenip kaldığım ve evden yok olup kendi kafamın içerisine gömüldüğüm birçok zamanda, sen bana karşı hep sabırlıydın. Seni çok seviyorum bebeğim.

9Marks hizmeti, kilise önderlerini Kutsal Kitap'a bağlı bir vizyon ve kullanışlı kaynaklarla donatmak amacıyla, Tanrı'nın yüceliğini sağlıklı kiliseleri kullanarak dünyadaki bütün uluslara yansıtmak için kurulmuştur.

Bu nedenle, aşağıdaki 9 işaret, sağlıklı kiliselerde görmek istediklerimizi özetler niteliktedir:

1. Açıklayıcı vaaz;
2. Kutsal Kitap teolojisi;
3. Kutsal Kitap'a dayalı Müjde anlayışı;
4. Kutsal Kitap'a dayalı Mesih'e dönme anlayışı;
5. Kutsal Kitap'a dayalı müjdeleme anlayışı;
6. Kutsal Kitap'a dayalı kilise üyeliği anlayışı;
7. Kutsal Kitap'a dayalı kilise disiplini anlayışı;
8. Kutsal Kitap'a dayalı öğrenci yetiştirme ve büyüme anlayışı;
9. Kutsal Kitap'a dayalı kilise önderliği anlayışı.

9Marks'da bizler makaleler, kitaplar, kitap eleştirileri ve online makaleleri yayınlıyoruz. Web sitemiz çeşitli dilleri kapsıyor. Diğer dilleri görmek için lütfen şu linki ziyaret edin:

9marks.org/about/international-efforts

9marks.org

CPSIA information can be obtained
at www.ICGtesting.com
Printed in the USA
LVHW081403020822
725010LV00023B/210

9 781951 474454